ポストコロナの資本主義

挑戦される国家・企業・通貨

早稲田大学教授
岩村充

日本経済新聞出版

はじめに

　第一次大戦中の一九一八年から戦後の一九二〇年にかけ、世界を襲ったウイルス禍があった。大戦での死者一千万人をはるかに上回る二千五百万人から三千九百万人もの死者を出したとされるインフルエンザ、通称「スペイン風邪」である。よく知られていることだが、このスペイン風邪という通称は、大戦における中立国であったスペインからの情報が、情報統制を行っていた参戦国よりも圧倒的に多く国際社会に流布したことによるもので、感染の発生地も主たる流行地もスペインではない。

　この感染症の死亡状況は、欧米より衛生状態においてはるかに劣位だったアジアにおいて深刻だった。当時、大英帝国に組み込まれていたインドでは、全世界の約半数に達する二千万人近くとも推定される死者を出し、人口百万人当たり死者数は実に五万人にのぼる。これは、英国の四千人、ドイツの六千人、イタリアの八千人、そして最初の感染地と見られている米国の五千人と比べても圧倒的に多い。そして、このときの日本の死亡者数は約三十五万人とされているから人口百万人当たりなら八千人である。当時の日本の生活水準が欧米に大きく劣後していたことを考えると、第一次大戦の主戦場から遠く離れ、庶民生活における大戦の影響が比較的小さかったという条件を加味しても、このときの日本のスペイン風邪対策は「成功」のうちに入ると評価してもよいだろう。

そして、それは良きことと悪しきことの両方を日本にもたらした。良きことは、感染症との戦いのためには官憲の監視ではなく、民衆における自律と自助が必要だということが証明されたことである。当時の日本は消化器疾患や結核などで毎年十万人を超える死者を出していたが、そうしたなかで新しい脅威として登場したスペイン風邪に対しては、広汎な民衆運動として、マスクとうがいの励行そして感染者の早期隔離などの動きが広まった。感染症の恐怖は民衆を団結させたのだ。

だが、良きことは悪しきことにもつながる。今までにない見えない敵であるウイルス感染症に対して民衆レベルでの「総力戦」が展開されたことそのものが、その後の日本の国家のかたちに影響したようにも思えるからである。このときの経験が、関東大震災や昭和恐慌の教訓ともあいまって、昭和の国家総動員体制の下敷きになるような国家権力と民衆の日常との精神的結合を作り出す素地になったと見たら、歴史の見方としてシニカル過ぎるだろうか。

この本では、COVID-19と名付けられた感染症が私たちの世界に何を運んで来たか、そして何を起こしそうか、それを、まだ感染症の脅威が去ったとは言い難い現在の状況を踏まえて整理したいと考えている。各章の要点を簡単に記しておく。

第一章の狙いは、今回のコロナウイルス禍の中間的記録である。感染初期の印象と異なり、二〇二〇年六月末という時点で大きく傷ついているのは日本を含む東アジアよりも欧州諸国や米国である。人口当たり死者数でみれば、東アジアと欧米諸国とでは数十倍から数百倍という、文字通り桁違いの格差がある。これだけの大きな差が生じた理由が何かは分からない。ただ、日本について言えば、クルーズ船ダイヤモンドプリンセス号の船内感染が大きく報じられたことなどが、人々の意識に大きく作用したという「幸運」もあったように思われる。この章はそれらの経緯についての簡単な振り返りである。

第二章は、ＰＣＲ検査をめぐる問題である。日本における感染症検査体制が十分でなかったことは否定できない事実だが、それが、このウイルスとの戦いにおいて、どこまで重大な足かせであったかどうかは冷静な検証が必要だろう。その一方で、この検査を抜本的に拡充して感染者を隔離すれば、コロナ禍が完全に去らなくても経済再開を急げるという提案が台頭したことがあった。この提案に私は反対だったが、その理由もこの章で書いておくことにする。

第三章は、スマホの近距離通信機能を利用して他の人との近接記録を記録して、それをもとに感染者と近接履歴があった人に警告を表示するという接触追跡システム（日本では「接触確認アプリ」と呼んでいる）についての検討である。接触追跡システム自体は良いアイディアと思うが、それがスマホのどの機能を利用するかによっては重大な問題を引き起こす可能性もある。ここでは問題の整理と解決の可能性を、仮想通貨ブームの置き土産とも言えるブロックチェーン技術利用の可能性も含めて考えることにする。

第四章は、今回のコロナ禍に対する経済対策が何を起こすかを考えるとともに、それに金融政策が対応できるかについて検討する。結論は、今のうちに打つべき手は打っておいた方が良いということに尽きる。打つべき手としては日銀保有国債の変動金利付き国債への転換である。

第五章は、財政とりわけ税制における体制整備についてである。私は、これまでの財政拡張の始末が付いていない状況で新たに加わったコロナ禍対策での財政出動に対していくためには、抜本的な税制デザインの書き直しが必要と思っている。具体的には、消費税型あるいは付加価値税型の多段階納税体制を、貸出や預貯金そして株式投資などを含むファイナンス取引と賃金支払つまり雇用取引にまで拡大し、代わりに法人個人の所得税を大幅に縮小するか撤廃すべきだと提案する。

第六章は、ズームなどと呼ばれるプロダクトに代表される遠隔での会議や集会をサポートするプラットホームが一気に普及することになった状況が何をもたらすかについて、デジタル化の思わぬ効果を考えるという観点から展望することにしたい。デジタル技術をベースとしたコミュニケーションの普及は、企業や国家のかたちを変える新たなきっかけになる面があると思うからである。

第七章は、本書のまとめとして、このコロナ禍がグローバリズムをどう変えるかについての考察を行う。グローバリズムの流れはいったん打ち切られたようだが、おそらくはかたちを変えて、もしかすると今まで以上に危険な要素を内包しつつ、復活するだろうと私は思っている。それについてここで書いておくことにしたい。

岩村　充

二〇二〇年七月

ポストコロナの資本主義　目次

第3章 接触追跡システムの光と影 59

第4章 金融政策ノーリターン？ 91

第7章

グローバリズムは変わるのだろうか 175

第1章

コロナに震えた世界

恐怖の始まり

中国の中央部、長江と漢江の合流点に武漢がある。紀元前一八世紀まで遡る歴史ある都市だが、近代に入ってからは産業都市として発展し、今では周辺を合わせた総人口一千万人を数える大都会になっている。この都市の名を世界中に知らせることになったのは、新型コロナウイルス感染症、COVID-19の最初の大感染地になったからである。

事実関係について書けば、二〇一九年末に流行を始めたこの感染症は、翌二〇年一月には武漢を全都市封鎖にまで追い込み、そして、当初はこの感染症の流行を不衛生なアジアで起こりがちな事件の一つのように見ていた欧米諸国で猛威を振るい始めた。二〇年二月に入るころから感染拡大が観察され始めていたイタリアでの事態は三月に入って急速に深刻化し、新規感染者数こそ三月にはピークアウトしたものの六月末での死者数は三万五千人と、国内総死者数を四千六百人に抑えた中国をはるかに超える重大さとなった。そして、イタリアと深い関係にあるフランスとスペインでも三月に入って急激な感染増が報告され六月末での死者数は各々三万人と二万八千人となっている。

そして四月になると、ウイルスの感染は、中国や欧州大陸の状況を他人事のように見おろしていた感のあるアングロサクソン系の国にも急激に広がった。

欧州で最初に爆発的な感染に見舞われたイタリアが三月には状況をピークアウトさせたのに対し、英国の新規感染者数は四月に入っても衰えることなく増加を続け、首相ボリス・ジョンソンが四月五日に入院してICU（集中治療室）での看護治療を経て一二日にめでたく退院、その退院直後に「われらのNHS」という言葉を発するというエピソードまで残すことになった。ちなみに、NHS（National Health Service：国民保健サービス）とは、一九四八年に開始され税金で全国民に原則無料の医療を提供するという、福祉国家を掲げていた時代の英国の象徴的遺産とも言える制度なのだが、マーガレット・サッチャー以来の新自由主義を掲げる保守党は同制度に批判的立場を続けてきていた。その保守党党首のジョンソンが、退院の直後に「われらのNHS」と発言したとは皮肉と言えば皮肉だが、彼は彼なりに病院のベッドで考えたのだろう。彼の「変節」は、無責任さではなく率直さの現れとして、英国内では好感をもって迎えられたようだ。この辺り、やはり英国人は大人なのだろうかとも感じるのだが、それはともかく、英国の六月末の死亡数は四万四千人とイタリアを超えて欧州で最も死者の多い国になってしまっている。

しかし、見通しの甘さのしっぺ返しを最も強烈に受けたのは米国だろう。二月末に至るまで「米国では非常によくコントロールされている」と強気の発言を繰り返していた大統領ドナルド・トランプをあざ笑うかのように、三月入り後の米国での感染拡大は猛烈なものとなり、みるみるうちに世界最大の感染国にして死亡計上国となってしまった。六月末の米国の死亡者数は何と十二万五千人に達している。

もちろん、数字がすべてを物語るわけではない。先進国と一口に言っても、どこでどのように死を迎えるかは国によって違う。日本では、病院などで死を迎える場合でも自宅で迎える場合でも、死に至る状況については医師の管理下にあるのが普通である。だが、高齢者が自宅や介護施設で死を迎える場合には、医師の管理下にないことが多い国もある。また、米国のように国民皆保険でない国では、医師に診てもらうことすらできずに死を迎えざるを得ない人たちも少なくない。英国では老人介護施設での死亡が感染死に計上されていないということが問題として報道されていたこともあったようだ。ことの是非は別にして、事情は国によりずいぶん違うのである。

また、この種の数字については、国や為政者のメンツをかけた他国への批判が行き交っている。わが日本についても、これは死亡数ではなく感染者数についてだが、政府はPCR検査と呼ばれるウイルス感染検査を意図的に抑制して感染実態を小さく見せようとしているのだという解説が、マスメディアなどでもてはやされた時期があった。私自身は、そうした解説を信じるほど日本政府の情報操作能力を「高く」は評価していないのだが、今回のウイルス感染者数に関する統計については、感染検査制度や医療体制により結果が大きく左右されることは否定できないとも思っている。

しかし、こと感染者数ではなく死亡者数については、各国の制度の違いなどから程々のバイアスのようなものが生じることはあっても、何倍あるいは何分の一もの狂いがあるとも思えない。患者が感染者かどうかは医師の判断に依存するが、死者かどうかは誰の眼にも明らかだからだ。したがって、今回のウイルス禍が各国にどのくらいのインパクトを与えているかは、感染者数ではなく死亡者数で見るのが適切だろう。

人口比死亡者数でインパクトを見る

ところで、死亡者数で各国ごとのインパクトを見ると言っても、そこには人口の多い国も少ない国もある、中国の人口は十四億三千万人を数えるし、米国も三億三千万人である。日本は一億二千七百万人だが、お隣の韓国は五千百二十万人。欧州では、英国は六千七百五十万人だが、イタリアとフランスはともに六千五十万人である。だからこのウイルスの恐怖を測るのには死者数ではなく、単位人口当たりの死者数で見た方が良い。それが人口百万人当たりの死者数をトレースした**図表1－1**である。ちなみに、この図の出所は Our World in

図表1-1　人口100万人当たり死者数

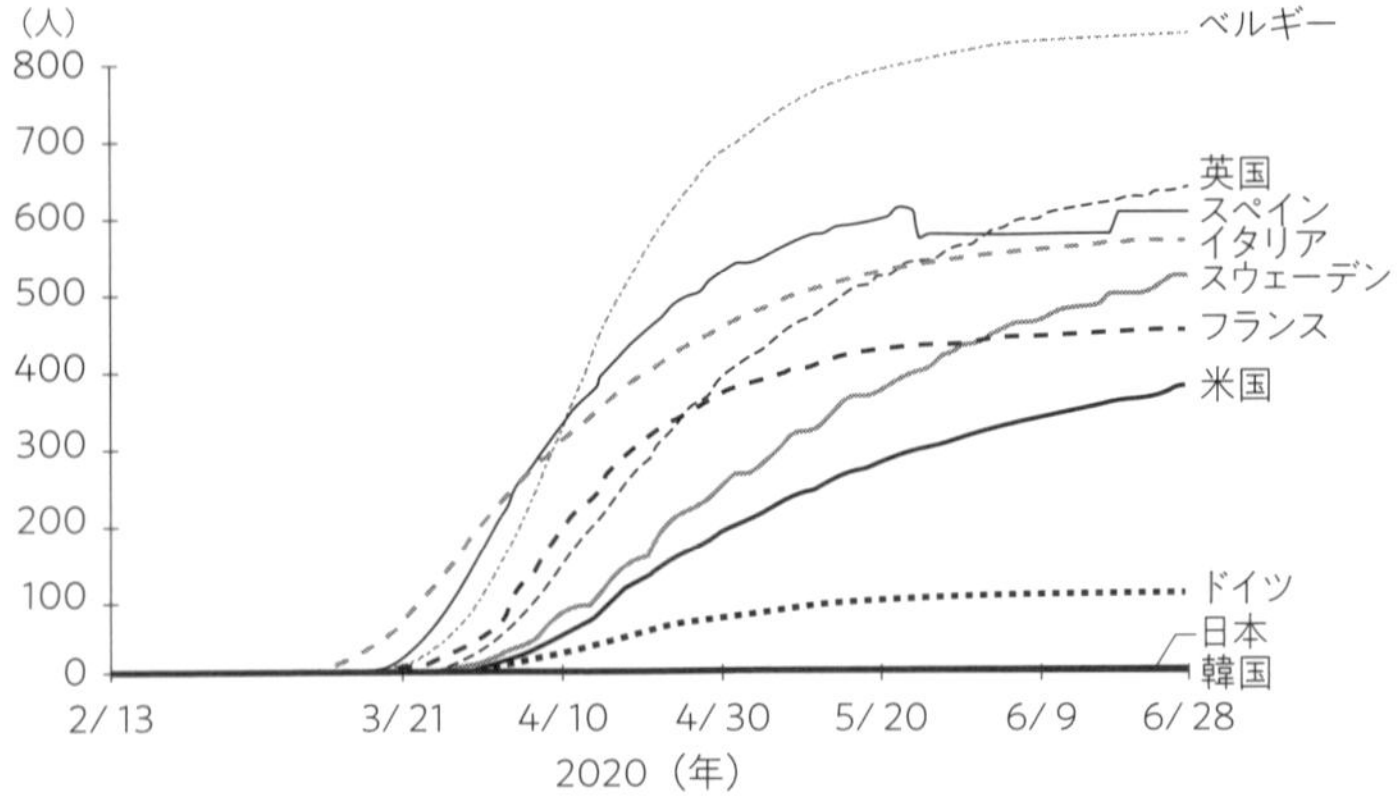

（出所）https://ourworldindata.org/grapher/total-covid-deaths-per-million?tab=chart&time=2020-02-13..&country=BEL+CHN+FRA+DEU+ITA+JPN+KOR+ESP+SWE+GBR+USA+Africa+Europe+Asia+North%20America

Data という英国オックスフォード大学に本拠をおく研究者団体である。彼らのデータの基本は他の公的機関から収集した二次情報だが、カバレッジが広いだけでなく、内容的にも信頼度の高い統計データベースとして知られている。

さて、これを見るとどう感じるだろうか。まず気付くのは東アジアの国々における人口比死者の少なさだろう。ここには載っていないが最初の流行地だった武漢を含む中国でさえ十四億人という圧倒的な人口に薄められ、単位人口比死者数では日本や韓国よりも少ないくらいだ。もちろん、武漢のある湖北省だけについてみれば、同省の人口五千八百五十万人に対する死者四千五百十人を百万人当たた

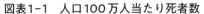

りに換算すると七十九人となり、日本の七・六六人や韓国の五・五〇人を大きく超えるが、それでもベルギーの八百三十九人やフランスの四百五十六人あるいはスペインの六百六人やイタリアの五百三十七人それに英国の六百三十六人とは桁が違っている。大きな人口で薄められている点では同じのはずの米国でも三百七十六人だから、このウイルスで受けた人的損傷は、アジアは小さく欧米は大きいのである。

ここまでの差を見せつけられると、その原因は手洗いや頬ずりなどの生活習慣の違いや政府対応の遅速巧拙の差ではなく、もっと他の要因があるのではないかという気さえしてくる。この辺り、私たちが気付いていなかった他の感染症流行との関連やCOVID-19と一括りにされるウイルスの変異型の地域差の影響などを疑う説に始まり、幼少期におけるBCG接種率の差を指摘する説もあるようだが（BCG接種はアジアでは強制の国が多いが、欧米のほとんどの国は任意である）、それらの評価は疫学あるいは病理学の素人である私の手に負える話ではない。ここで確認しておいた方が良いことは、その理由は措くとして、アジアとりわけ東アジアと欧米とが現段階で受けている打撃という点では、文字通り桁違いと言うべき大差があるということである。

わが日本のメディアやそこで識者などと呼ばれる人たちは、おそらく日本を憂いてのことだろうが、欧米ではここまでやっている、しかるに日本は遅れているという議論をしがちである。だが、単位人口比でみて百倍近い死者を出している英国などを引き合いに、欧米ではここまでやっていると言って日本の取り組みを批判するような議論を聞くと、その根拠は何なのかと疑問を持たざるを得ない。

もちろん、現実は数字だけで把握できるものではない。欧州諸国のなかでも突出して死者が多いベルギーは、以前から重い疾患を抱える高齢者に対してはＱＯＬ（Quality of Life：生き方の質）を重視して医療よりも介護という方向感をもって対する国であった。今回の死者数の多さには、そのことが影響している可能性はある。また、この感染症による肺炎の苦しみの激しさがしきりに報道される一方で、現場を知る医師から、あくまでも一般論という断り付きだが、「高齢者の肺炎は穏やかなものであることも多く、旅立たれるための一過程で、安らかに過ごされる方も少なくない」とも教えられると、人口当たりの死者の数だけで議論してはいけないと感じることもあった。

だが、ともあれ私のような現場の外にいる人間にとっては頼りになるのは数字である。だから、このウイルス感染症が世界をどう変えるか考えるに当たっても、まずは事実確認を各国別の死亡者数比較で始めることにしたい。

最初の結論は、**図表1－1**を見れば当然とも言えることだが、日本における状況は、政府の対応などには数々の問題点があったとされているにもかかわらず、結果そのものは欧米より良い、少なくともこのウイルスとの第一回戦では、人的損傷を小さく抑えている方の国に入るということである。なぜなのだろうか。それを考えるために、日本におけるウイルスとの「戦い」の経緯をざっと回顧しておこう。

日本ではどうだったか

日本に武漢での異変について伝えられるようになったのは二〇一九年末だが、日本人にこのウイルスへの認識を強烈なものとさせたのは、翌二〇年二月三日に横浜に入港した英国船籍のクルーズ船ダイヤモンドプリンセス号で感染者が発見され、船内で感染が拡大、最終的に乗客乗員合計三千七百十一人のうち六百三十四人が感染という事態が発生したからであろう。

この事態が発生すると、日頃から日本について批判的論説を載せることが多い欧米メディアは、ここぞとばかり「(ダイヤモンドプリンセス号は) 感染で煮え立っている鍋だ」(二月一八日・英国ガーディアン) とか「二週間も船内に大勢を押し込めた日本政府の方針に、日本国外の専門家からは疑問の声が上がっている」(二月一七日・米国ウォール・ストリート・ジャーナル) と書き立て、それが日本のメディアや有識者たちによる日本政府批判を勢いづけ、互いに増幅し合うという現象を起こした。こうした欧米とりわけエリート意識の強いアングロサクソン系メディアの日本に対する報道振りを、それから二か月後の彼らが自国で起こったことをどう伝えているかと比較すると失笑を禁じ得ないところもあるが、それをここで言っても意味はないだろう。私が日本にとって幸運だったと思うのは、ダイヤモンドプリンセス号の船内感染に関する欧米メディアの伝え方が、このウイルスに対する認識と警戒心を多くの日本人に早い段階で作り出したことである。

クルーズ船での感染拡大が連日のように報道されているなか、一月に都内の屋形船で新年会を行っていたタクシー運転者グループでの集団感染発生が、それがあたかも感染当事者の責任であるかのようなニュアンスで二月に入って大きく報道され、ネットメディアなどで当事者が激しいバッシングを受けるという事件が起こった。また同じ二月の大阪のライブハウスにおける集団感染も似たような経緯を辿っている。私は、こうした小規模な集団感染が国内で大きく報道されたことも、今度のウイルス感染を「対岸の火事」のように見ていた欧米との差を作り出す一助になったと思っている。

それまでは比較的地味な国連系国際機関だった世界保健機関（ＷＨＯ）は、一躍して多くの人が知るところとなったが、その取りまとめ役であるテドロス・アダノム事務局長は、三月二日の記者会見で中国への懸念は去りつつあるとし、「韓国、イタリア、イラン、日本の情勢を最も懸念」と発言している。この発言における日本についての部分は、データに基づくものでないとの日本政府からの申し入れにより撤回されたようだが、私がこの発言を聞いて驚いたのは、日本を重大な懸念国にあげたことではなく（三月一日時点での日本国内の死者は五人だった）、すでに二千人の感染者と五十人の死者が報告されていたイタリアの隣国で、この時点において百人の感染者と二人の死者を生じ、一週間後には千人の感染者と十九人の死者を出すことになったフランスを含め、地政学的にはすでに重大な危険を抱えていたはずの欧州諸国について、この道のプロであるはずのWHO事務局長から懸念の表明がなかったことだった。

この時期になると、私のような素人でも、主として経済的な打撃を予想したいという関心から、ウイルス感染状況を伝える国際的データベースを毎朝のようにチェックする習慣に陥っていたのだが、WHO事務局長の方はデータよりも報道番組や活字メディアの見出しに気を取られていたのかもしれない。そこは分からないのだが、この事務局長発言が日本メディアに大きく取り上げられたのも、日本にとってもう一つの幸運だったように思う。この発言もまた、早い段階で日本人に「このウイルスは怖い」という印象を強く根付かせてくれたからだ。

日本では、欧米における感染爆発が報じられるようになる一か月以上も前の二月ごろから、統計分析の分野では一定のプロファイルを持つ標本集団を意味して使われていたクラスターなどという用語が、集団感染を指す言葉として広く使われるようになり、最初のうち「クラスター対策」などと聞くたびに違和感のようなものを感じていた私も、今ではすっかりこの用語法に慣れてしまった。このウイルスに対する危機意識はそこまで日本では行きわたっていたのである。

分かることと分からないこと

この辺りで、日本と欧米の累積感染者数をグラフで見ておこう。断っておくと、この感染症に関する限り、私は患者あるいは感染者の「絶対水準」を国際比較することに意味はないと思っている。感染後発症までのウイルスの振る舞いが正確には分からず、したがって、どのような人を罹患者と判定するかの仕組みも国により異なっている新しい感染症に対し、報告で上がってきた「感染者数」の絶対水準を国際比較しても意味はなさそうだからである。絶対水準による比較に意味があるのは、何をもって「死」とするかの基準に差がないはずの死者数比較であり、感染者数の比較ではない。

しかし、感染者数を比較するのにまったく意味がないかと言えば、そうでもないところが

図表1-2　国別総感染者数の推移

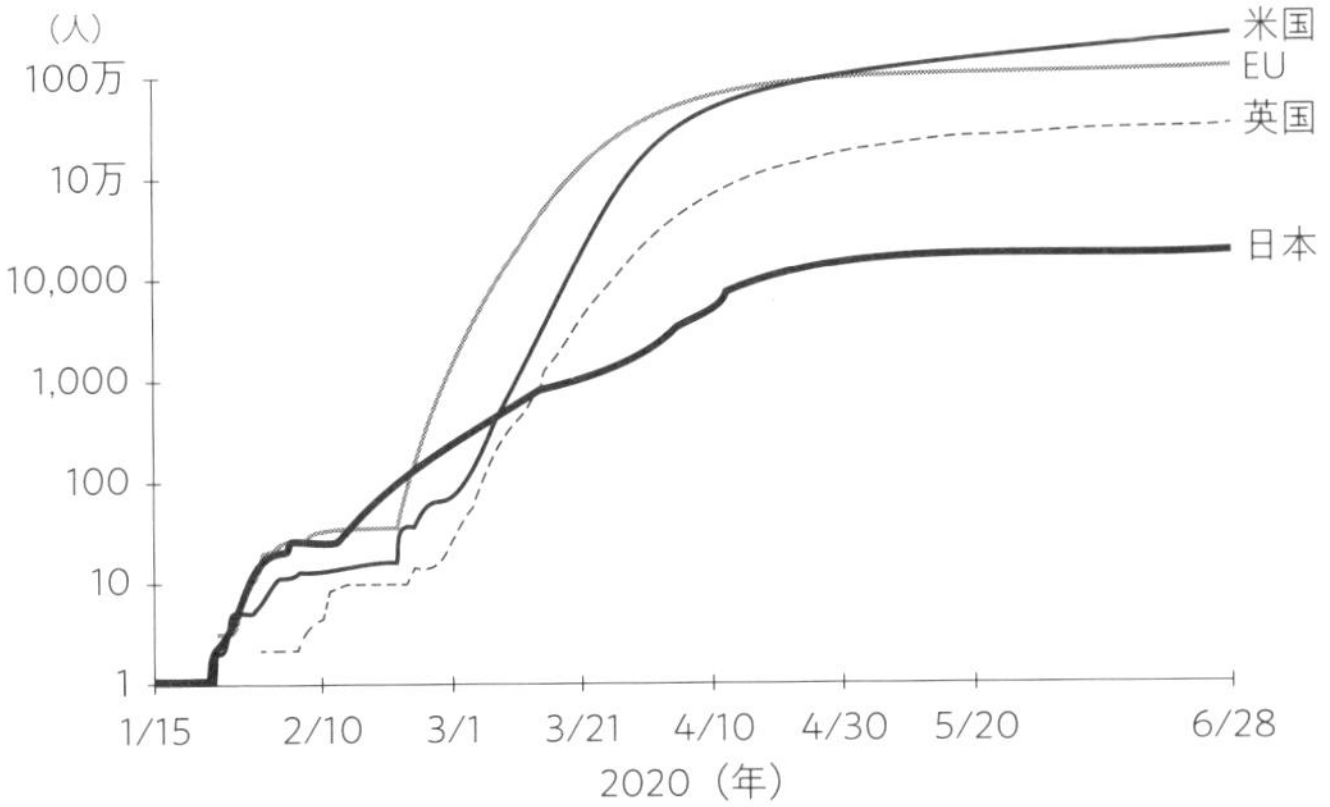

（出所）https://ourworldindata.org/grapher/total-cases-covid-19?yScale=log&time=..&country=JPN+USA+European%20Union+GBR

ある。感染検査の基準が国や自治体などによって異なっていても、検査システムそのものの全取り換えのような制度変更がなければ、感染者の絶対数ではなく、その「変化」には大きな意味があるはずだからだ。**図表1－2**はその趣旨で掲示するグラフである。変化の動きの差を大きくとらえたいので、表示対象を絞って日本と英米そして欧州連合ＥＵだけにしてあり、縦軸は対数目盛にしてある。繰り返しになるが、絶対水準は意味がないので、この図で見るべきは、累積感染者数が増え始めるタイミングと勢いそしてグラフが横に寝始めるタイミングである。

　そこに注目すると、日本と欧米との違

いも見えて来るだろう。日本の累積感染者数曲線は欧米よりも早く上向き始めた一方、その傾きは五月の半ばくらいまであまり変わらず、その後は横ばいに近くなっている。これに対して欧米の累積感染者数曲線は、日本がじりじり増え続ける感染者数におびえ始めた二月はほぼ横ばいで、皮肉にも「欧米での危機はイタリアに限られている」とも解釈可能なＷＨＯ事務局長の発言があった三月初旬あたりから不連続と言えるほどの急激な増加に転じている。なぜこうなったのかは分からない。この曲線が素直に感染拡大状況を示しているのだとすれば、この時期に欧州あるいは米国のどこかでウイルスの変異が起こり、格段に感染力と致死性が高いウイルスが流行を始めたことを示すのかもしれない。しかし、そのように見えてしまう理由は別にも考えられる。それは、三月から四月にかけて欧州や米国で観察されたのは、感染の急拡大ではなく、感染「発見」の急拡大だった可能性もあるからだ。

簡単な計算をしてみよう。このウイルスの感染力は、何も対策がなかったときには一人の感染者が平均で二・五人の二次感染者を作り出すとされている。一方、一人の感染者が感染を拡げる期間については、米国のＣＤＣ（疾病予防センター）の指針などを見る限り発症の二日前から発症八日後の延べ十日間ほどらしいので（彼らは発症者が仕事に復帰できるタイミングを発症後八日後からとしている）、この両方の数字を信じる限り、一か月つまり三十日間での感染者拡大スピードは最大で「二足す二・五」の三乗つまり四十倍強のはずである。ところが、三月中における欧州連合内での報告感染者拡大率は何と三百五十九倍で、英国だと二百三十倍、米国に至っては二千五百倍となるから（ちなみに日本は八・五倍である）、これでは実際の報告数字との間にギャップがあり過ぎる。不思議ではないだろうか。

そんなことは過去のことだ、どうでも良いではないか。そう言われるかもしれないが、日本における今後の問題を考えると、これはどうでも良い問題ではない。

もし三月中の欧米における「報告感染者数」の爆発的増加がウイルス型の変異などによるものなら、ワクチンも治療薬もない状態で世界経済が本格的に再開し東アジアと欧米との間の活発な人の往来が復活でもしたら、日本あるいは中国や韓国は、未経験の恐ろしい欧米型ウイルスによる感染の再爆発に直面することになる。一方、この時期の欧米の「報告感染者数」の爆発的増加がウイルスの蔓延に気付いて本格的に感染状況を検査し始めたことによるものなら、感染者数が急増したように見えるのは統計の悪戯で、欧米で生じていたのは感染の急拡大ではなく感染者の急発見に過ぎないことになるだろう。そうすると、差し当たり東アジアと欧米とで流行っているウイルス型の感染力と致死性は互いに同じようなものと考えて、経済再開後の日本も状況を細心に観察しつつ慎重にアクセルとブレーキを踏み分ければ、イタリアやスペインあるいはロンドンやニューヨークのような惨状には至らないでいられそうである。

どちらなのだろう。それは分からない。日本にいる私たちとしては後者であって欲しいと願うが、確証は得られないし、試しに国境の完全開放でもやってみるなどというのは、いくら何でも恐ろしすぎる。この本では、そうして分からないことがあるということを前提に、私たちの今の課題を考えてみることにしたい。

今は始まりの終わりなのだろうか

序文でも触れたのだが、もう一度、スペイン風邪のことを書いておきたい。スペイン風邪は、日本を含む世界の多くの地域に深い爪痕を残したが、最初の流行が戦時だったことと、その後の時代が社会主義ソ連登場の衝撃と一九二〇年代のバブルそして三〇年代の大不況という大事に覆われたためか十分な記録が残されることなく、いわば歴史の物語の中に置き去りにされた感があった。このウイルス感染症が何だったかを最初に本格的に分析したアルフレッド・W・クロスビーによる二〇〇三年の『史上最悪のインフルエンザ』(西村秀一訳・二〇〇四年・みすず書房)の原題が「忘れられた米国のパンデミック (America's Forgotten Pandemic)」となっているのもこれが理由である。

同書によれば、スペイン風邪の最初の流行の記録は米国にある。一九一八年三月、前年の一七年春に大戦に参戦しながら年末に至るまで欧州への大軍派兵を行っていなかった米国が、革命後ロシアの戦線離脱で形勢が不利に傾いた英仏を支援するために本格的な派兵準備を開始した時期にそれは起こっている。このとき、カンザス州の欧州派遣軍の編成中継基地で三月に二百三十三人の肺炎患者を出し四十八人が死亡したことが報告されている。ただ、それにもかかわらず、この時点でのウイルスは感染力こそ強かったものの一般に症状が軽かったこともあってか、大戦への本格参戦という熱気に包まれていた米国で大きな注意を惹くことはなかった。

ところが、このウイルスは、同年八月後半、クロスビーの言い方を借りれば「前代未聞の強い病原性を持つインフルエンザ」に変異し、そして世界的な大流行を引き起こすことになった。変異した場所は、西アフリカのフリータウンとフランスのブレストそして米国のボストンである。謎なのは、現在とはまったく異なる交通事情の下、これほど離れた場所でほぼ同時に凶暴な姿に変化したウイルスが現れたことである。最初に米国で流行したウイルスが欧州派遣軍の兵士たちによって大西洋を横断したことは、さまざまな証拠から間違いないとされているが、この二度目の同時変異の理由は分からない。分かっているのは、このウイルスにより、北米で約六十万人、欧州で二百三十万人、そしてアジアでは何と千九百万人から三千三百万人と言われる死者を出したということである。

そして、もう一つ分かっていることがある。このインフルエンザは多くの国で二度かそれ以上にわたって人々を襲い、そして理由も不明のままに消え去ったということである。速水融の『日本を襲ったスペイン・インフルエンザ』(二〇〇六年・藤原書店)によれば、この感染症は「どこからか姿を現し、変異し、毒性を高め、凶暴性を発揮したのち、どこかへ去って行った」のである。どこから人間界に入り込んだのかも分からないし、離れた場所で同時に変異した理由も分からない、そしてなぜ感染の波が収まったのかも分からないのだ。そうすると、この二〇世紀最悪のパンデミックから何か学ぶことはあるだろうか。私は、何かを具体的に学ぶことはできないように思う。それでも学ぶことがあるとすれば、パンデミックと言われる大規模で凶暴な感染症については、相手の正体が分からないまま対さざるを得ないことがあるということ、それだけではないだろうか。

今回のウイルス禍について言えば、これまでのところの日本の対応を結果的にみれば、それは成功だったうちに入るだろう。このウイルスは人と人との身体的近接により感染する。だから、人同士が近接する機会を減らせばウイルスの感染速度は減少する。感染者が他の人にウイルスをうつしてしまう確率を小さくし、理論的には感染者一人が感染させる人の数の平均値を一・〇人未満に抑え込むことができれば、体内にいるウイルスは遅かれ早かれ宿主の抗体により死滅させられるか宿主の死亡によってウイルス自体も死滅し、人々の生活空間内に存在するウイルスの数もゼロに向かって収束していくはずである。

繰り返しになるが、このウイルスの感染力は一人の感染者が平均で二・五人の二次感染者を作り出すというものらしい。それなら人と人の近接による感染機会を六割減らし四割以下にすれば抑え込みは成功する。私は、三月に出された政府専門家会議の提言が八割減つまり近接機会を二割以下に下げたいとしているのを聞いて最初は意味が分からなかったのだが、後で会議メンバーが「念のため強めの目標を掲げるのだ」と言っているのを聞いて納得がいった。現在までの状況を見る限り、彼らは賢かったと思う。

しかし、それはどんなときでも有効な対応だろうか。たとえば、このウイルスが感染力を十倍にするほどにまで高めて戻って来たらどうだろう。脅威を抑え込むためには、近接機会削減目標を百分の二以下にまで強めなければならないことになるが、そんなことになったら外出自粛を外出制限令や外出禁止令へと形だけ強めても、もはや感染拡大を抑え込めないだろう。外出制限であれ外出禁止であれ、それを強制するためには、警察官や憲兵が常に街頭を徘徊し、違反する人影がないかを見張らなければならないが、そうして発見した違反者を彼らの住居に押し戻すという行為自体が、警察官や憲兵をウイルスの運び屋に変えてしまう可能性だってある。そこまで考えると、ここまで厳しい事態では、警察力で人々を見張るのではなく、国家は人々に理解を求めることに徹し、耐えることでウイルスが去るのを待つ方がかえって効果をあげるかもしれない。

それでは、かつてのスペイン風邪ウイルスのように、感染力こそ低くなる代わりに毒性が猛烈に高まって再来したときはどうだろう。そのときに必要なのは重症者の手当てである。凶暴化したスペイン風邪ウイルスに対することになった一九一八年秋の米国でも、そこで最も求められたのは、治療手段を持っていない医師たちよりも、絶望的な状況の中で患者を優しく励ましてくれる看護婦たちだったようだ。クロスビーの書には、米国での二度目の流行に対し、各地で数千人規模の看護婦経験のない女性たちが危険なウイルスとの戦いに進んで加わったことが書かれている。

最悪の場合として、感染力も致死性も猛烈でしかも治療薬がないウイルスが突如として現れたら何ができるか。できることは、国境を閉ざし、州境や都道府県境を閉ざし、あるいは市町村境を閉ざすことぐらいである。そのとき必要なのは、境界を閉ざすことが人や人あるいは国と国との憎悪の応酬になり、さらなる悲劇に発展することを食い止める賢いリーダーシップなのだろうが、それは今の世界で望めるのだろうか。それこそが現在の世界における最大のリスクかもしれない。

今は、果たして「始まりの終わり」なのだろうか。そう思うことがある。スペイン風邪についてのクロスビーや速水の仕事を見ると、パンデミックを作り出すウイルスは何度も形を変えてやって来ることがあると書かれている。だから、もしかすると、今の私たちは、まだ「始まりの始まり」にいるだけかもしれない。それは分からないのだ。

次章からは、それが分からないということを不都合な現実として受け入れたうえで、その不都合な現実に耐える力をどうすれば備えることができるか、それを考え得る範囲内で記しておくことにしたい。

第 2 章

検査、検査、検査だ

連呼する事務局長

今度のウイルス感染症を恐ろしいものにしているのは、人類がウイルスに対抗する決定的手段としてのワクチンや治療薬を持たないことである。戦時によくみられるのは、打つ手がない作戦状況のとき、出来の悪い参謀将校ほど前線に報告を報告をと要求し前線を混乱させることのようだが、今度のウイルスに対する「戦い」でも、それと似た現象がみられたような気がする。

今回のコロナウイルスに感染したか否かを調べる現実的に唯一とされた方法がＰＣＲ検査と言われる方法である。ものの本によると、ＰＣＲとはPolymerase Chain Reaction（ポリメラーゼ連鎖反応）の略で、遺伝子物質である核酸を合成する酵素ポリメラーゼを用いて、感染が疑われる人から採取した唾液などの検体に含まれるターゲット核酸を連鎖的に増殖させ、観察に耐えるほどの遺伝子物質量を得る方法のことらしい。このＰＣＲ法による検査を拡充させることで、ウイルスによる脅威に対抗すべきだという声が沸き上がってきたのである。この声は、三月一六日の会見でテドロスＷＨＯ事務局長が「検査、検査、検査だ」と連呼したと伝えられたことによって一気に高まった。

また、二月に韓国が、南東部大邱市の宗教施設で大規模な集団感染が発生したのに対して、徹底的なＰＣＲ検査体制を敷くことで、ぎりぎりのところで感染拡大を食い止めたと伝えられたことも、日本人の心に強く作用したようだ。韓国のＰＣＲ検査体制については、ドライブスルー検査の導入のような報道映像になりやすい検体採取体制を取り入れていることがメディアで大きく報じられたが、実際には韓国独特の兵役代替制度である公衆衛生医を二千五百人規模で動員したことの寄与が大きかったようだ。ただ、それはともかく、韓国との比較が出て来ると冷静ではいられなくなるのが日本のメディアの特性である。彼らによって彼の国の検査体制充実ぶりが伝えられると、なぜ韓国にできることが日本にはできないのだと言わんばかりの世論が形成されてしまったのである。

しかし、冷静に考えてみよう。検査によって患者は何が得られるのだろうか。長い間、日本人にとって最も恐ろしい感染症の一つだった結核には、ストレプトマイシンという歴史的とも言える特効薬がある。だから、患者が結核に罹患しているかどうかを検査するのは、治療のために決定的に重要なステップである。しかし、ＣＯＶＩＤ-19と名付けられたこの新型ウイルス感染症には治療薬がない。それなら、貴方が数日前から続く気怠さと微熱がＣＯＶＩＤ-19だと知って（病気を引き起こすウイルス名で言えばＳＡＲＳ-ＣｏＶ-２だと知って）、それはどんな役に立つというのだろうか。

もちろん、貴方がいわゆる重要人物であれば、貴方の主治医にとって、ウイルスがSARS-CoV-2だと知ることは大事かもしれない。貴方の病状が急変して重度の肺炎に陥る可能性がわずかでもあるということとなれば、それは国家の大事だし、そのときの貴方を救うために主治医は人工呼吸器の手配ぐらいは済ませようと思うだろう。米国の大統領トランプは毎日のようにPCR検査を受けているそうだが、それも彼が超重要人物だからである。だが、貴方が私と同じ「普通の人」であれば、ウイルス検査をすることは、主として貴方のためではなく貴方以外の人のためのものにしかならない。貴方への検査は、多くの場合、保健当局が貴方を隔離対象と判断するための材料にしかならないからだ。

余談ながら、この検査体制を巡っても、さまざまなエピソードがあった。三月ころの話だったが、十七歳の環境活動家として世界の世論形成に大きな影響力のあるスウェーデンのグレタ・トゥーンベリが、「ウイルスに感染したみたい、でも自分の国、スウェーデンは希望するだけで検査を受けられる仕組みではないので、これから自主隔離に入ります」とブログに書いて、一時、姿を消したことがあった。スウェーデンは人口当たりで見た検査件数は少ない方ではないが、検査を望む人のすべてに検査を提供する国ではない。ただ、自分が感染しているかもしれないと感じたら、自ら隔離を選ぶという意識を十七歳の少女に至るまで普通に共有している国なのではあろう。私は、そんなスウェーデンをうらやましいと思うと同時に、十七歳の彼女が世界の環境活動のリーダーになっている理由にも納得することができた。彼女ほどの有名人にして重要人物であれば、自国でなく他国で検査を受けることなど、少しも難しくなかっただろうと思うからだ。それに比べると、感染が不安だから検査を受けて安心したい、政府はそうした国民の声に応えていないと自国政府を突き上げた日本の世論というものは、十七歳の彼女よりもはるかに幼稚であるように思えてしまう。

しかし、もっと重要なことは、ＰＣＲ検査でこの感染症に対抗しようとすることには、論理的あるいは技術的な問題点があることである。

検査における感度の問題

統計学には第一種の過誤と第二種の過誤という概念がある。これは統計学的に何らかの関係性が存在するかどうかを確かめようとするとき（これを「統計的検定」という）、差し当たり、その関係性が存在しないと仮定したら何が起こるかを考え（これを「帰無仮説を設定する」という）、それが現実データに生じているかどうかを数値的に確かめたうえで、その事例が少ないという結論が得られれば、関係性が存在するだろうと考える（これを「帰無仮説を棄却する」という）、より厳密に言えば「関係性が存在しないということを数字では否定できない」と結論するという方法をとる。そこで、このとき帰無仮説が真であるにもかかわらず、それを誤って棄却してしまうことを「第一種の過誤」といい、その反対に関係性が存在するにもかかわらず存在しないと思ってしまうことを「第二種の過誤」という。

これはいわゆる二重否定で、学者というのは面倒な言い方をすると思われるだろうが、統計学とは因果関係を積極的に解き明かす学問ではなく、関係性の存在を事後的にチェックするだけの学問だから仕方がないという面がある。たとえば、「天気が良いとコメの作柄が良い」という関係性を統計的に検定するとき、その関係性が支持されるときには（帰無仮説が棄却されるときには）、「天気⇒作柄」という関係性も「作柄⇒天気」という関係性、つまり「コメの作柄が良いと天気が良い」という関係性も支持されてしまう。どちらの因果関係が正しいとするかは統計学の領域ではなく農学とか生物学の領域だからである。それが面倒な二重否定の論理を統計学がとる理由である。

さて、ＰＣＲ検査の話に戻ろう。医学的な検査では、同じような問題を「精度」の問題というらしい。具体的には、感度と特異度の問題という。感染者を正しく陽性と判定する確率が「感度」であり、非感染者を正しく陰性と判定する確率が「特異度」である。統計学の標準用語である「第一種の過誤」とか「第二種の過誤」という言葉を使わないのは、検査は単純な統計学の応用ではなく、医学においては何が「因」で何が「果」であるかは、生物あるいは生体としてヒトの解析で明らかと考えるからだろう。

言葉についての議論はともかく、ＰＣＲ検査が検体採取から核酸増殖そして結果観察という過程を経る以上（新型コロナウイルスはＲＮＡウイルスでＤＮＡウイルスではないので、核酸増殖に入る前にＲＮＡをＤＮＡに戻すため、逆転写という過程まで必要になるらしい）、そこにさまざまな要素が入り込み、得られる結果が確率的なものにしかならないこと、それは間違いなさそうだ。

被検者がウイルスに感染していても、採取した検体に必ずウイルスが含まれるとは限らないし、何らかの理由で増殖や逆転写の過程がうまくいかないこともある。そんなこともあるのでＰＣＲ検査の感度はあまり高くなく、七〇パーセントとかせいぜい八〇パーセントという話を聞くことが多い。そうだとすると、ＰＣＲ検査で陽性と出た人には他人との接触がない環境に退避してもらう、あるいは法的な強制措置や行政による説得で物理的生物的な人間関係から隔離するということをいくらやっても、それで残った人は安心して暮らせるというわけではなさそうだ。もう少し説明しよう。

図表2－1は米国医師会雑誌というジャーナルの電子版に五月六日に掲載された論文からのコピーだが、私は、ある医療関係者からこの図の存在を教えられたとき、思わず眼が釘付けになってしまった。このグラフが示すものは、ＰＣＲ検査は発症（Symptom Onset）の

図表2-1　PCR検査の検出力

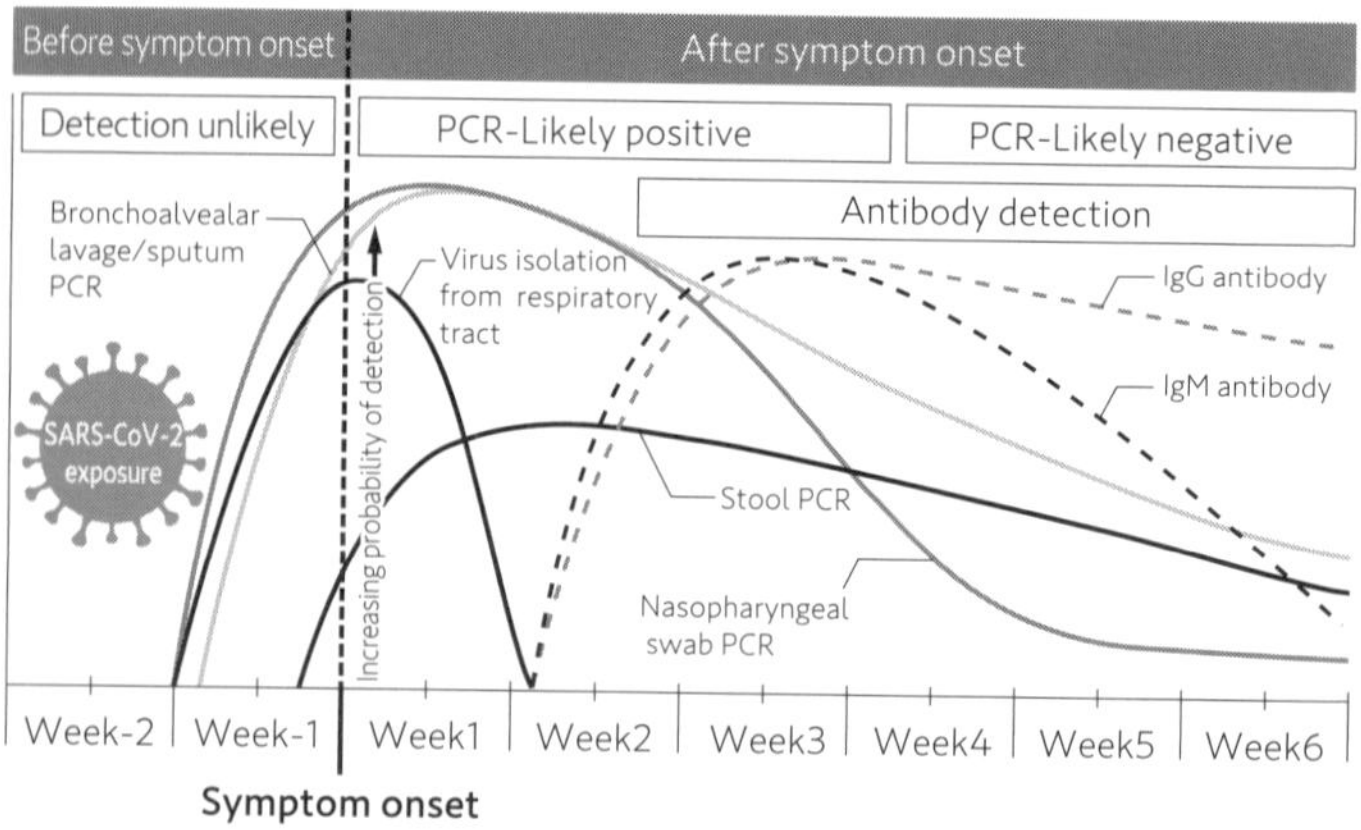

（出所）米国医師会雑誌電子版　2020年5月6日付
https://jamanetwork.com/journals/jama/fullarticle/2765837?fbclid=IwAR0YkCSstgR3sNX6h3902etQ1bMmtyYgbejNxNcqfX6vG3uYPKVCD_UItms

一週間ぐらい前から感染を検知し始めると読み取れるからだ（今の世界および日本で最も普通に行われているＰＣＲ検査は鼻の奥から検体を採取するもので、このグラフでは、Nasopharyngeal swab PCRとしてある曲線でその検出力の変化が描かれている）。一方、このウイルスが感染力を持ち始めるのは28ページでも触れた米国ＣＤＣの見立て通り発症の二日前ぐらいだとしよう。そうすると、もし、この検査を頻繁に行うことが可能なら、検査で陽性と出た人に他人との接触回避を求めたり、それこそ施設に隔離してしまったり、というようなことをやれば、それでＰＣＲ検査でコロナウイルス蔓延を防止するというシナリオを作り得ることになる。ただ、このグラフが示すのは、よほど頻繁にＰＣＲ検査を繰り返すのでなければ、感染者が他人にウイルスをうつしてしまうことを完全に防止することはできないということでもある。もちろん、そこまでやっている例もあるようだ。報道によると、米国のホワイトハウス高官たちは毎日ＰＣＲ検査を受けることを義務付けられているのだそうだが、それは彼らを守るためというよりは同じ屋根の下にいる超重要人物つまり合衆国大統領を守るためなのではないだろうか。

ところが、このウイルスとの戦いに対する「疲れ」のようなものが広がるにつれ、状況を一気に変えたい、ＰＣＲ検査体制を思い切って拡充することで、感染の再拡大を防ぎつつ経済再開を急ぐべきという議論が台頭してきたことがあった。その日本における典型は、経済学者の小黒一正法政大学教授などを中心とした学者グループによる提言、具体的には全国民に定期的に検査を受ける機会を提供し、結果が陰性と出た人には「陰性証明書」のようなものを発行し、そうした証明書を所持している人たちにどんどん仕事をしてもらえば、国民全体への外出自粛や外出禁止令のようなものに頼らずに感染対策と経済再開が両立できるというものだろう。

だが、徹底的なＰＣＲ検査体制構築でウイルスの脅威を封じ込んだと称賛される韓国だって、できていた検査件数は一日に数万件である。だから、ＰＣＲ検査でウイルスと戦うためには（正確には、ウイルスの「蔓延」と戦うためには）、検査結果を得るまでの時間的ラグまで考えれば、感染の可能性のある人の全部に三日に一度ぐらいは検査を受けてもらう必要がある。日本だったら、一日に四千万件もの検査が必要になってしまう。そもそも話の桁が違うのだ。

ちなみに、米国の大統領トランプは、五月に経済再開に踏み切るにあたり、週に二百万件の検査実施体制を用意すると表明したそうだが、その程度では話にならない。人口三億三千万人の米国で、ＰＣＲ検査一本で感染拡大対策を完結させようとしたら、毎週どころか毎日一億件ほどもの検査体制が必要になってしまう。繰り返しになるが、ＰＣＲ検査は医療のためのもので、感染者隔離のためのものではない。それが分かっていて経済再開に踏み出したのではないかと思えるところに、この大統領の本当の恐ろしさがあると私は思っている。

日本の現実

日本の現実の話に戻ろう。日本のＰＣＲ検査体制は、お隣の韓国や欧米各国と比べて強力なものではなかった。そのことは、否定できない事実であり、医療の現場にある人にとってはまさに不都合な真実であったと思う。少なくとも四月くらいまでの検査体制について言えば、鼻に綿棒のようなものを突っ込んで検体を採取する「前方」ではなく、検査室に送られてきた検体を増殖し状況を観察して判定を行う「後方」、そこに処理能力の限界があったことは間違いないようだ。その状況については、検査後方の現場指揮に当たっていた国立病院機構仙台医療センター臨床研究部ウイルスセンター長にして、クロスビーの『史上最悪のインフルエンザ』の全訳者でもある西村秀一医師が、五月初旬に東洋経済オンラインのインタビューに答えて説明してくれていたが、要するにそこで生じていたのは、熟練の検査技師の不足であり、さらに重大なのは、ウイルスの増殖度を判定するための試薬の不足だったようだ。当時、検査試薬は国際的に奪い合いの状況にあり、四月くらいまでの日本における「後方」、つまり検査所は試薬の調達においてまさに綱渡りの状況にあったらしい。

インタビューで西村医師は、試薬の調達ネックは、五月入り後には改善しつつあるとしていたが、試薬に調達ネックがある状態で「希望者全員にPCR検査」などということをしたら何が起こっただろうか。想像すると、背筋が寒くなるのは私だけではないはずだ。

この問題に関連して、これはやや皮肉な言い方になるが、数が積み上がらない日本の検査状況について、ウイルスの感染状況を隠したい役人たちが検査実施を抑制しているのだという風説が流れたことは、むしろ幸いだったのではないかと思える面すらある。検査の後方にネックがある、それも手持ちの試薬に限界があるなどということに多くの人が気付いてしまえば、試薬がなくならないうちに検査を受けたいという希望が殺到し、ウイルス感染の話が広まったとたんに店頭からマスクが消え、それが最も必要な医療関係者の手にさえ入りにくくなったのと同じ事態が、ＰＣＲ検査試薬の奪い合いとして展開されることになったのではないかとも思えたからである。

私は、今回のウイルス感染症のように治療薬がない状況での感染拡大に直面し、しかし幸運にも感染検査の方法が確立しているのなら、限りある検査資源は何よりも医療崩壊を防ぐために振り向けるべきだと思っていた。具体的に言えば、政府は国民に対し「検査で陰性と出ても本当は感染しているかもしれないのですから、安心して仲間と騒いで良いわけではありません、思い当たることがあったら最大限の自主隔離をしてください」と言うべきであり、さらに「限りある検査能力は医療関係者と介護従事者に振り向けます、彼らに検査を受けてもらうのは病院や介護施設をウイルスから守るためです」とも明言することだと考えたのである。重要なことは、医療関係者や介護従事者には、できる限り頻繁に（理論的には三日に一度くらいは）検査を受けてもらい、そこで陽性と出たら、一般的な外出自粛ではなく、他の人の命を預かる職場からの離脱を要請することだと思っていたわけだ。そうした意見をオンラインメディアで公表したこともある。

この原稿を書いている六月現在で言えば、新たな感染者はいわゆる「夜の街」関連と医療施設内感染が多くを占めるようになっているが、前者はともかく、後者の背景には感染検査資源配置のミスアロケーションがあるように思える。医療施設や介護施設で働く人たちにとって検査を受けることは、自分を守るための権利というよりは職業上の義務の一部だという認識が政府にも世の中全体にも不足していたのではないだろうか。

私は、感染症対策としてのPCR検査体制は充実させておいた方が良いと思っている。しかし、治療薬のない状態での検査体制なら、医療や介護事業の現場にかかわる人たちに優先的に検査を提供し、それ以外は、医療上あるいは感染拡大対策上で必要なケースについての検査能力があれば良いはずだとも思っている。もちろん、治療薬が開発された状況では話は変わる。もし、治療薬が開発され十分な量で手に入るのなら、検査は決定的に重要な治療のステップになる。だが、その場合に必要なのは、感染の拡大速度に見合った検査体制、おそらくは日に数万件とか数十万件の検査体制であって、感染者隔離のための全国民検査、つまり日に数千万件というような検査体制などではない。希望者全員にPCR検査をなどというのは、そのどちらに対しても無意味であり、感染症対策資源の無駄使いに近いはずなのである。

隔離のための検査論の危うさ

　ここまで整理したところで、検査実績と感染の深刻さとの関係を見ておこう。図表2－2は、各国の人口百万人当たり検査実施件数と死亡者数を対数化してプロットして視覚化したものである。このような数字の背景には各国のさまざまな事情があり、しかも結果としての数値を対数化した数値だから、この図に統計的手法による傾向線のようなものを引くのはあまり意味がない。しかし、そんなことをしなくても、検査実施件数と死亡者数とは「正の相関」がある、つまり片方が大きくなれば他方も大きくなるという関係があることは明らかに見て取れるだろう。

　それで何が言えるだろうか。統計学的に棄却できないのは、「検査を増やすと感染が深刻になる」という仮説と、「感染が深刻になると検査が増える」という仮説で、棄却できるのは「検査を増やせば感染が抑制できる」という仮説である。そして、言うまでもないことだが、この場合の常識的な推論は「感染が深刻になると検査が増える」というものだろう。検査は一般的には結果を観察するものであり、検査それ「自体」が感染を減らすとも考えにくいし、感染を作り出すとも考えにくいからである。

図表2-2　PCR検査と死亡者の関係

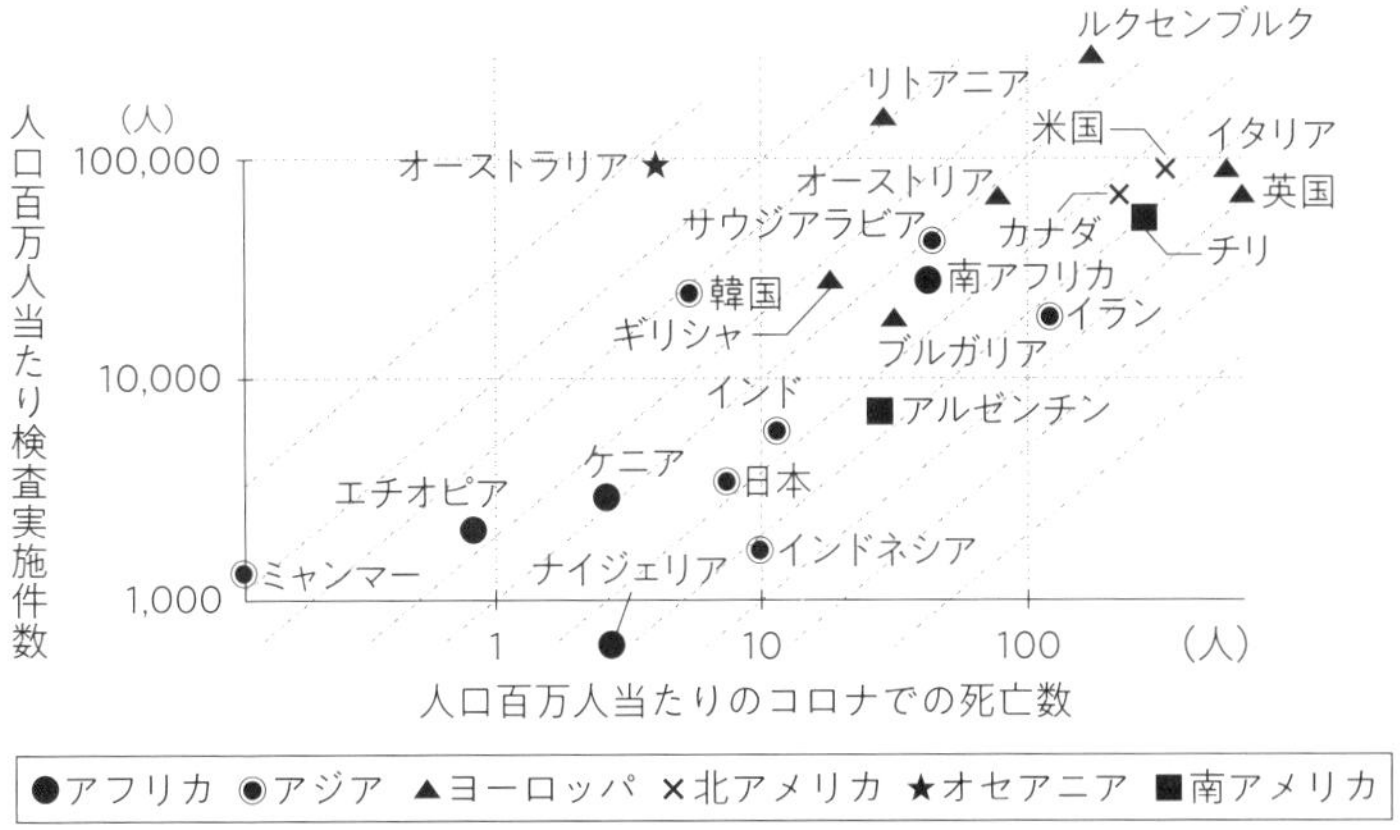

（出所）https://ourworldindata.org/grapher/covid-19 tests deaths scatter with-comparisons?country=ARGAUS~AUT~CHL~DNK~ETH~GRC~HUN~IDN~IRN~ITA~JPN~KEN~LTU~LUX~MMR~NOR~POL~RUS~ZAF~KOR~SWE~TWN~GBR~USA~ZWE~CAN~IND~NGA~SAU~BGR

もちろん、検査の精度が悪く、多数の非感染者を感染者としてどんどん隔離施設に送り込むようなことをすれば、隔離施設内感染により感染者を増やし、結果として死亡者を増やすことにつながるかもしれない。

ただ、幸いにして、ＰＣＲ検査にその問題は小さいようだ。検体から採取したＲＮＡをＤＮＡに逆転写して増殖させて結果を見るというこの検査の手順から考えれば、検体の中に元ネタになる遺伝子がなければ、検査結果が陽性となることは手順違いや検体への別の遺伝子の紛れ込みでもなければ生じようもあるまい。

これに対し、たとえば抗体反応を

見るというような簡易検査で同じことが言えるかどうかは専門家でない私には分からない。精度が悪い検査が導入され（この場合の「精度が悪い」とは「特異度が低い」という意味である）、その結果がＰＣＲ検査による判定と同等に扱われるようなことが起これば、検査が感染を作り出してしまうという悪夢のような事態は生じるかもしれない。

さらに、ここで考えて欲しいことは、特異度が高いとは言え完全でない検査を、感染拡大防止つまり隔離のために使おうとするのは、疫学的というよりは倫理的な観点から深刻な問題を内包しているということである。前述のように、ＰＣＲ検査においては、その性質上、罹患していない人を誤って陽性（偽陽性）としてしまう確率は小さいはずだが、皆無と保証することはできていないようだ。しかも、それを万が一にでも起こしてしまったら、結果は重大である。

隔離とりわけ集団隔離のための検査で非感染の人を本当の感染者と一緒に隔離施設などに収容すれば、それは彼らを無理やり感染させることにつながる。イタリアや中国武漢における感染症対応施設での野戦病院のような光景がメディアを通じて伝えられると、私は寒気を覚えざるを得なかった。この問題は、検査で陽性とされた一人ひとりを完全に個室隔離すれば小さくすることはできる。だが、クルーズ船「ダイヤモンドプリンセス号」での集団感染事例から言っても、同一施設内の個室隔離では感染拡大を完全に防ぐことは難しいようだ。

ホテルを臨時隔離所とする程度で解決できる話ではないのだ。

繰り返しになるが、そうした施設で感染者と一緒に「隔離」された偽陽性者は、直接間接での感染者との接触によって、遅かれ早かれ真の陽性者になってしまう。しかも、そうした人たちは隔離の入り口段階では「陽性者」として扱われていたのだから、自身が真の陽性者となった後では、かつて間違って感染者として扱われていたことを事後的に証明することすら不可能になってしまう。彼らは永遠に救済されないのである。そして、この問題は検査数を積み上げれば積み上げるほど重大になる。検査が偽陽性者を作り出す確率が極めて低く、たとえば仮に〇・一パーセントであったとしても、その検査を一億人の日本人全体に拡大すれば、実に十万人もの偽陽性者を作り出すことになりかねない。

私たちの日本は、かつて「癩病（らい病）」と呼ばれていたハンセン病患者を強制隔離して、彼らの人権を踏みにじってしまったという恥ずべき歴史を持っている。ハンセン病患者の隔離が最初に法制化されたのは、明治四〇年つまり一九〇七年で、法の名称は「癩予防ニ関スル件」というものだった。このときの法制定の背景にあったのは、ハンセン病患者を放置しているという諸外国からの批判に考慮したものだったと教えられれば、何やら今回のコロナ禍を巡るＰＣＲ検査拡充論との気味悪い類似を感じるのは私だけではあるまい。

付け加えると、ハンセン病患者に対する人権侵害は日本の社会と政治の思潮の中で増幅され、もはや国家的犯罪とも言うべきレベルまで高められていった。この運動が一九二九年ころから各県が競ってハンセン病患者を探し出し隔離するという「無癩県運動」に拡大し、その流れを受けて国家レベルでも患者の「強制隔離」を法制化する「癩予防法」になったからだ。そして、第二次大戦後、隔離法制は一九四八年の「優生保護法」に取り込まれ、さらに五三年には「らい予防法」が改めて制定され、隔離法制が完全廃止されるのには一九九六年までかかっている。繰り返しになるが、ハンセン病患者に対する人権侵害が深刻なものになったのは、強権的な上からの政策だけではなく、地方レベルで展開された「無癩県運動」によるところが大きいということである。専制的な政府だけでなく、世を良きものにしようとする民意もまた、他者の人権を踏みにじる誤りをしばしば犯すのである。地獄への道は善意で敷き詰められているのだ。

こうした歴史を知れば、国民全体への「強制」ではなく「希望者全員」への検査提供で感染拡大防止を、と説く人が話を避けているものに気付くだろう。人々が感染の恐怖におびえる世界では、「希望者全員」と言ってしまった段階で、相互監視の集団心理によって本音では希望していない人にも同調を迫り、事実上の強制に結びつきかねないのだ。

ＰＣＲ検査体制の模範国とされることの多い韓国には、四月、感染拡大の再発防止のため、被隔離者に位置情報検知のための電子リストバンドの装着を義務付けようとする動きが政府内にあると報じられたことがあった。さすがに実現には至っていないようだが、そうした動きが報じられたこと自体、全員ＰＣＲ検査論のような主張を生み出す「空気」がはらむ危険を示唆していたような気がする。

自由を守る心が試されている

やや話を飛躍させることになるが、私が今回のコロナ禍で思うようになったのは、「私たちの自由への心が試されている」ということである。

私たちの国家が国王や皇帝の家（イエ）の延長ではなく、そこに住む国民あるいは市民のものになったのは一九世紀のことだったが、その過程では自由を求める人々の苦しい戦いがあった。当時の国民国家における自由とは「血と涙」で守るものだったからである。明治元勲の一人でありながら自由民権運動に転じた板垣退助が暴漢に襲われたとき口にしたとされる「板垣死すとも自由は死せず」という言は、そうした自由への心が開国後間もない日本でも共有されていたことを示している。

その自由を、規制を緩和し経済を活性化させるため、言い換えれば儲けるためのインフラに堕落させてしまったのが、英国首相だったサッチャーや米国の大統領だったロナルド・レーガンらが主導して世界に広めた「新自由主義」である。新自由主義の弊害は、幸か不幸かコロナ禍の直前刊行になってしまった『国家・企業・通貨〜グローバリズムの不都合な未来』(二〇二〇年・新潮選書)で主として格差拡大の文脈で論じたが、その新自由主義自体が私たちの自由を守る心に「劣化」をもたらしたことも、今から思えば同著でもっと書いておけば良かったという気がしている。そうした自由への心の劣化が、全員PCR検査論のようなものが後を絶たない背景にもなっているような気がするからである。

しかし、私が自由を思う心の劣化を感じたのは、日本で希望者全員PCR検査論のような主張が出て来るよりも前に、自由の先進国であるはずの欧米諸国で一般化してしまった感のある「外出禁止令」に対してだった。抗独レジスタンスの歴史を誇りにして来たフランスや、それを受け入れつつ風化していないナチスの記憶を強調していたはずのドイツが、あっさりと強権による外出禁止令に踏み込んでしまったのには衝撃としか言いようがない思いがした。書き添えておくと、私は、人々に外出の「自粛」を呼びかけた日本の行き方を支持していたし、今もそうである。自由の国であるはずのフランスが、三月に警察力を動員しての外出禁止令を発動したのには驚かされたが(ただし違反しても初犯なら百三十五ユーロの罰金で刑罰は重いものではない)、そうした罰則のない外出自粛の「要請」でも、相互牽制的雰囲気の強い日本のような社会でなら実質的に十分機能するだろうと思っていたからだ。

ワクチンも治療薬もない状況での感染症対策は、究極的にはワクチンや治療薬が開発され実用化されるのを待つまでの時間稼ぎでしかない。時間稼ぎで重要なのは、人と人の接触頻度を減らし、医療崩壊を招かないレベルにまで感染拡大速度を抑制することだからである。だが、それを法の強制により行うのか、それとも人々の自律的意思によって行うのかは、私たちの自由な世界を守るという点では雲泥の差がある。

よく知られているように、世界の先進とされる国々の中で、警察力を用いた法強制によらず人々の自律性によってこの感染症に対したのは、スウェーデンと日本だけである。前章でも書いたことだが、外出禁止を法の力によって維持しようとしても、外出禁止令を守らせるための警察官や憲兵の活動あるいは生活必需品の供給努力によって、感染自体は広がってしまうかもしれない。それが困るというのなら、警察官やスーパーマーケット従業員たちに毎日のようなPCR検査でも義務付けるほかはないが、それは無理な話だろう。感染症対策が確率的に感染速度を抑制しようとするものである限りは、法の強制によるよりも人々の理解による方が実効も上がるはずだし、それを保障するのが自由な世界を守りたいという心なのだ。

日本以上に人々の自律で感染症に対する路線を堅持していたスウェーデンは、とりわけ高齢者施設での対応などにつき路線の見直しに動きつつあるようだが、それでも第一章の**図表**

1―1を見直してもらえば分かるように人口比死者数が欧州諸国の中で突出して多い方ではない。多いのは、ベルギーや英国それにスペインやイタリアなどである。欧州諸国の中では感染を完全に封じ込めつつあるとまで言い切れないスウェーデンに路線の揺らぎのようなものが見え始めたのは気になるところだが、そうなればますます「自粛」を軸に第一次の危機を乗り切った日本は、この感染症に有力な解決モデルがあることを示したことになるし、そうであり続けて欲しいと私は願っている。

私たちが心掛けることとは、感染者を探し出すことでもないし、官製自粛運動からはみ出した他者を糾弾告発することでもない。自分が感染者かもしれない可能性を踏まえて自律的に行動することである。起こっていることに対する理解、そして理解の上に立つ自律的行動こそが自由の基盤だからである。

第 3 章

接触追跡システムの光と影

命か経済か

コロナ禍は、私たちに「命か経済か」という選択を突き付けた。だが、ことは二者択一で割り切れるほど単純でない。多くの国がウイルス感染の拡大あるいは再拡大を覚悟しても経済再開に踏み切ったのは、短期的には「命より経済」を選んだかのようだが、感染再拡大を怖れて都市を封鎖し経済活動を止めてしまうことを続けていれば、このウイルスではなく飢餓や暴動あるいは戦争による命の危険に私たちはさらされることになる。だから、短期的には「命」ではなく「経済」を選択するような決定でも、究極のところ選択されているのは「命」であり、だから経済再開にも命を粗末にした選択ではない面はある。

ただ、そうした論理のスパイラルに、この本で入り込むのは止しておこう。そこに入り込み始めると、飢えで死ぬつらさと肺炎で死ぬつらさをどう考えるのかとか、そもそもCOVID-19による新型肺炎でない「普通の肺炎」で死ぬ人が毎年十二万人に上ること、あるいは「普通のインフルエンザ」で死ぬ人も多い年だと数千人になることもあること、それらを議論することになり、問題点や疑問を提起することはできても、それ以上に思考を深めることはできそうもない。だから、ここでは、「命か経済か」という選択に対し、もっと別の角度から工夫することで「命も経済も」という選択があるとする提案について検討を試みることにしたい。

さて、「命も経済も」という提案には、いくつかの変化形がある。第二章で言及した日本の経済学者グループからの提言だけでなく、「感染時の致死性が高い高齢者は隔離し、感染に強い若者には働いてもらおう」（ヘブライ大学教授アムノン・シャシュア）とか「人々を社会基盤維持に必要なエッセンシャルワーカーとそうでない人とに区分し、エッセンシャルな順に経済活動への復帰をさせよう」（ハーバード大学倫理センター）という主張など、百家争鳴とは言わないまでも、国際的提言競争の感もあったぐらいだ。

もっとも、こうした提言については、いくらでも反論することができそうだ。全員PCR検査論が見落としている点についてはすでに書いた通りだが、高齢者隔離論者に聞きたいのは、欧州などでは高齢者養護施設において非常に多くの死者が出ているという事実をどう考えるかであり、エッセンシャルワーカー論者に聞きたいのは、いったい誰が線引きをするのか、旧ソ連を含め多くの計画経済国が辿った歴史を検証して主張しているのかなどである。

そして、私が最も警戒するのは、こうした多くは善意からなされただろう提言が引き寄せる自由な社会への脅威なのだが、その話はもういいだろう。それらが、本質的には、自由への侵害であることは明らかである。外出禁止令や外出自粛要請が、国民あるいは市民の全部の自由を少しずつ奪うものであったのに対し、これらの提案は一部の人を選別してその自由を奪う代わりに、残りの人の自由を確保しようという「名案」に過ぎないからだ。私は、そうした提案に与する気持ちはない。

これに対し、情報技術を梃子に「命も経済も」の両立を模索しようとする動きもある。日本を含む多くの国で展開されつつある「接触追跡システム（Contact Tracing System）」がそれだ。多くの国で期待と懸念の両方を集めているアプローチである。

接触追跡システムとビッグブラザー問題

接触追跡システムにはいくつかの変化形があるが、その多くは、スマホつまりスマートフォンに特別に設計されたアプリをインストールしておき、①インストール済みのスマホを持っている人同士が近距離に近接すると、②スマホがブルートゥースと呼ばれる近距離低電力相互通信機能を使って自動的にＩＤを交換して記録し、③そこで記録された近接履歴のある人がウイルスに感染していたことが事後的に判明すると、④自分のスマホに過去に感染者と近距離にいた履歴の存在が表示され注意を促す仕組みである。こうした仕組みを導入しておけば、自由への介入と感染拡大防止の矛盾を、強権的な隔離策によらずに解決できそうである。理由は二つある。

理由の第一は、今回のウイルス感染症の特徴にある。伝えられるところによると、このウイルスは感染してから発症するまでの潜伏期が多くの場合五日から一週間程度と比較的長く、しかも感染を拡げ始めるのは発症の二日前くらいかららしいとされている。したがって、もしこのアプリが迅速に感染者との近接履歴を警告してくれるなら、いわゆる二次感染者が気付かずにウイルスを拡散させてしまうのを相当程度まで防ぐことができる。COVID-19という今回のウイルス感染症の特性に依存する面はあるが、このシステムが賢く運用されれば一定の効果をあげるはずなのである。

理由の第二は、そもそも感染拡大防止策というのは、確率的なものだというところにある。このシステムによる通知の効果が一〇〇パーセント感染を防止してくれるのでなくても、システムで警告を受けた後に自主隔離に入るとか、医療機関で診断を受けるということをしてくれれば、それ以上の感染拡大を防ぐことができる。このシステムが一人のウイルス感染者が作り出す二次感染者数を一人以下にしてくれれば、それだけで感染を終結させることができるし、そこまで行かなくても、他の対策と併用すれば効果はもっと大きくなる。そして、そのことは、このやり方を採用する場合、追跡システムが割り出した「感染している可能性の高そうな人」の全部を強制的に隔離する必要はないと考える理由にもなる。自分が感染しているリスクがあると知らされた人が、いくらかでも自粛し自制してくれれば、それなりの効果は見込めるはずだからだ。

ちなみに、このシステムについては六割以上の普及をという声があるようだ。それを言う人の根拠を私はすべて知るわけではないが、感覚的には頷けるところがある。今回のCOVID-19という感染症について言えば、ウイルスの拡散スピードは一人の感染者が平均的に二・五人にうつすというぐらいのものらしいから、感染の可能性に気付いた人の六割が医療機関受診とか自主隔離などの行動をとってくれれば、拡散スピードは六割減になるから、感染が幾何級数的に拡大することを防ぐことにはなりそうだ。もっとも、そんな計算が成立するためにはウイルスがどのタイミングで感染を拡げ始めるか等々、多くの前提が必要だから六割普及論の根拠はもっと複雑なはずだ。ただ、それはともかく、この種のシステムが有効に機能するためには普及率が条件になるのは確かだろう。

では、その条件が満足させるところまでシステムは普及するだろうか。私は可能性があると考えている。それは、こうしたシステムに参加するかどうかは個人の自由に任せられていたとしても、社会的存在である私たちは自分が所属する企業や学校あるいは地域社会の求めから自由ではいられないからだ。極端な話、システムに参加することのメリットを本人は重視していなくても、自分が属する集団や組織の多くのメンバーがシステムに参加する状況が生まれてしまうと、システムに参加していない限りそうした集団や組織が管理する施設やエリアへの入域が面倒になったりする。だから、彼も彼女もシステムに参加し、それがまたシステム参加の自己拡大を促すというサイクルも成立しうることになる。これは、中国で個人信用格付けという制度が日本人にはやや理解しにくいほどの勢いで一気に普及したことにもつながるシナリオなのだが、そうしたサイクルが回り出せば、この種の接触追跡システムは、人々が感染のリスクに怯える世界では、国家による強制などがなくても急速に普及するかもしれない。

とは言え、こうした構想が明らかになると、これが監視社会化への入り口にならないか、個人の行動履歴が政府に把握されることにならないか、という議論あるいは懸念は当然ことながら噴出する。いわゆる「ビッグブラザー問題」である。

改めて説明するまでもないと思うが、「ビッグブラザー」というのは、英国の作家ジョージ・オーウェルが、第二次大戦後に発表した『一九八四年』で描いた人々の心を支配する独裁者のイメージである。彼は、一九三六年に選挙で政権を握ったスペイン人民戦線に軍を率いて反乱を起こした右派の将軍フランコとの戦い、通称「スペイン内戦」に人民戦線側国際義勇兵として参加し、表では人民戦線政府を支援するとしながら実際には自身の勢力拡大しか眼中にないソ連に深く傷ついて帰国した。その経験をモチーフにオーウェルが描いたのが

「見える独裁者」としてのビッグブラザーだったが（オーウェルは「黒い口髭の男」と書いている、ヨシフ・スターリンのことだろう）、現代のビッグブラザーは情報ネットワークを使って人々の動静や思想を管理する一党独裁の政府であったり、インターネットでの検索履歴などを使って人々を望む方向に誘導しようとする巨大ＩＴ企業だったりする。

私たちの日本を含め多くの国や地域で交錯しているのは、コロナ禍におびえる人々の心の揺らぎである。コロナ禍は、民衆の守護者と称して登場したソ連共産党を歓迎したロシア革命時の民衆と同じように、政府や巨大組織による個人の動きへの監視を歓迎するムードを一気に作り上げてしまうかもしれない。

もっとも、これはやや安心できることだが、接触追跡システムを導入しようとする政府たちの多くは、このシステムの導入をもってビッグブラザーへの道に自ら踏み出したいとは思っていないようだ。もう少し説明しよう。

プライバシーをどう守るか

このシステムには多くの変化形がある。このシステムを最初に導入したシンガポールやオーストラリアなどで動き始めているのは、名前や電話番号などの個人特定情報をそのまま

ＩＤにして個人の近接履歴をセンターで管理し感染危険度が高まっている人に危険性を通知するものだが、それによるプライバシー侵害あるいは監視社会化を懸念する声に応えて、多くの国で主流になりつつあるのは、個人特定情報をＩＤにするのではなく、ランダムに作成された長い数字列をＩＤにすることで、ＩＤが分かっても個人特定情報は分からないという条件を満足するようシステムを設計するタイプの仕組みである。また、後者の中には、さらに念を入れて、近接履歴の追跡をシステムのセンターにあるサーバーで一元的に行うのではなく、感染者が分かった時点で参加者のスマホにＩＤが通知され自分の履歴認識は各自のスマホで行うというところまで丹念に作られているものもある。こうなっていれば、システムの提供者である政府も勝手に人々の履歴を追跡できないことになる。日本で試験的に運用が開始されつつあるシステムもこのやり方で、同様のやり方を採用しているお仲間にはドイツやスイスがある。こうした接触追跡システムの国別比較表を**図表3−1**に示しておこう。

そんなこともあるので、このシステムについては、ビッグブラザーを連想させやすい「接触追跡システム」ではなく、日本のように「接触確認アプリ」と名付けたりしている例もあるのだが、どのような名をつけても近接履歴を追跡していることに違いはないので、この際、誤解を避けるために名称を工夫したのではないかと思われる日本政府には申し訳ないが、最初からの呼び名である「接触追跡」という名で一括させてもらうことにしたい。

図表3-1　接触追跡システムにおける各国のスタンス

陽性者データ管理	国が管理（中央サーバ型）		端末で管理（分散型）
個人情報の取得	個人特定型（電話番号等）	匿名型	
代表例	カタール シンガポール オーストラリア	イギリス フランス	ドイツ スイス エストニア 日本

低　　プライバシー　　高

（出所）盛合志帆「新型コロナウイルス対策を踏まえた社会経済の変革〜プライバシーに配慮したデータ利活用」より（原資料は国立研究開発法人情報通信研究機構ホームページにて公開されている）

ここで、日本の方式についての説明図を厚生労働省のホームページからコピーして、**図表3−2**に示しておこう。ちなみにこの図で「識別子」と書いているのがIDなのだが、実際の作り方はさらに念が入っていて、暗号技術を使って一つのスマホについて多数の「輪転近接識別子」という名のIDを発生させて、さらにそれが自動更新されるよう作られている。ここまでやっていれば、個人情報とIDが一対一では結びつかなくなるので、このシステムによって個人の活動が政府やシステム提供企業に露出するリスクはほとんどないだろう。このシステム、ビッグブラザー対策という点では良くできているのである。わが日本政府は接触追跡システムの基盤を提供しながら、政府自身で人々の行動を追跡できないよう丹念にシステムを作ってい

図表3−2　接触追跡システムの仕組み

〈通常時〉

・他者との接触についてアプリの端末に相手の識別子（個人に紐付かない）が記録される。

・識別子の記録は、一定期間経過後に順次削除されていく。

接触の条件を満たしたら識別子を記録

〈陽性確認時〉

・保健所で感染者システムに陽性者が登録される。

・登録された陽性者は保健所の通知を受けて、自分が陽性者であることをアプリ上で入力。

・アプリユーザーに対して、陽性者との接触歴がある場合に接触者アラートが通知され、これを確認。（接触した個人が特定できない形で通知）

・接触が確認された者には、メッセージにより、適切な行動と帰国者・接触者相談センターへの相談方法等をガイダンス。

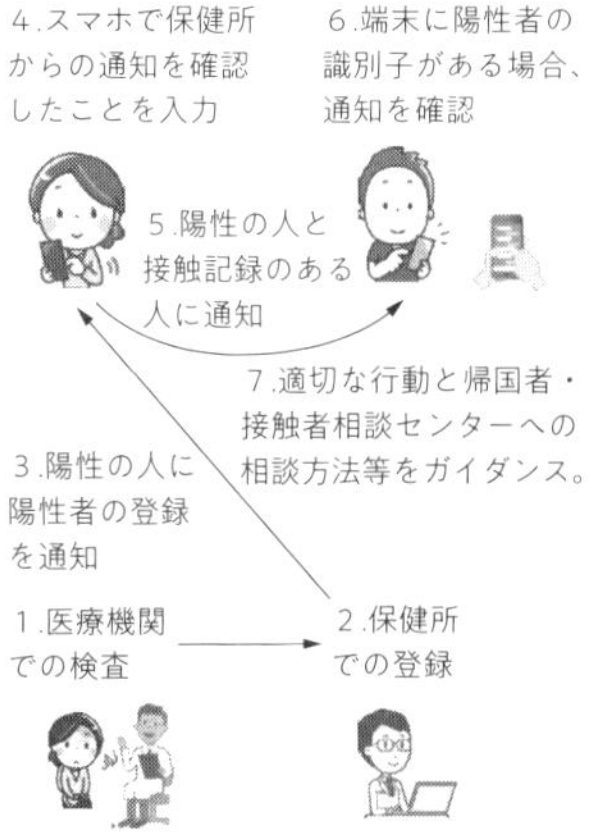

（出所）2020年5月26日公表の厚生労働省『接触確認アプリ及び関連システム仕様書』から

ることになる。

ただ、ここまでやってくれていると知ると、この方式を採用することにした政府の努力には共鳴すると同時にややお気の毒にも感じてしまうところがある。ここまでやることになったのは、政府たちが自分で招いた結果という面がありそうだからだ。破棄しましたと言っていた文書が周りから攻め立てられると出現してしまったり、絶妙とも言えるタイミングで保存されるべき文書が「誤って」破棄されたり、政権に批判的な言説を展開していた元高級官僚の「出会い系バー」への出入りが微妙なタイミングで報道機関にリークされたなどという話も伝わってくるのが日本の状況である。各々の話の真偽には不明な点もあるとはいえ、こうしたビッグブラザーへの連想が働きやすい仕掛けを展開し実効あるものとするためには、それを呼び掛ける政府そのものの「品格」と「素行」が大事なのである。

ところで、こうした仕組みを利用者にストレスを感じさせることなく使ってもらうためには、スマホを、アプリケーション略してアプリと言われるレベルで動作させるだけでなく、もっとスマホのハードウェアに近いレベル、具体的にはオペレーティングシステム略してOSと呼ばれるレベルと連動させなければならない。接触確認アプリは膨大な量のデータを扱わなければ十分に機能しないし、電源がオフかオンかにかかわらず最低限の外部通信はする必要がある。それらを実現するためにはOSの動きとアプリが密着して動作する設計が欲しくなるからだ。

しかし、ここに私が接触確認アプリの今後の展開に感じてしまう不安がある。

人質を得たグーグルとアップル

スマホのOSとの連動が大事ということになると、誰でも連想するはずのグローバル情報企業名がある。それがグーグルとアップルだ。今回の接触確認アプリについては、そもそもの動作条件はグーグルとアップルの二社連携によって定められているということだし、また、そうでなければ接触追跡システムについて世界が問題意識に目覚めてから三か月もしないうちに実用化に持ち込むことなど難しかっただろう。スマホのOSは、アンドロイドをサポートするグーグルとiOSをサポートするアップルのほぼ完全な二社独占が成立しているからだ。

実は、こうした考え方に基づく接触確認アプリについては、コロナ禍が現実になってから世界のさまざまなボランティア的グループが開発を試みていたのだが、スマホ電源がユーザーから見てオフ（実際にはスリープ状態）になっているときでもアプリを動かし続けなければならないことによる電力消費などがネックになっていたところがあったらしい。そうしたところに、グーグルとアップルが彼らのOSに「危険度通知」を意味する Exposure Notification なる機能を導入してきたことから（以下では簡単に「EN機能」と呼ぶことにしたい)、この機能を使わないでアプリだけで完結する仕掛けに挑戦するボランティア的グループの提案は、「今は非常時だ」とする雰囲気にも押され一気に少数派に転落してしまった面があったようだ。しかし、このままで良いのだろうか。理由はいくつかある。

懸念する理由の第一は、これでグーグルとアップルは、世界にウイルスへの恐怖がある限り、そこに暮らす人たちの安心を求める心をいわば「人質」に取ったような状況になるところにある。この二社にフェイスブックとアマゾンを加えたGAFAと呼ばれる四大グローバル情報企業に対しては、伝統的な独占禁止法的な文脈だけでなく、その人々への影響力が国家のそれを超えつつあるのではないかという文脈からも、批判や警戒の声が絶えなかったのだが、このEN機能の導入は状況を変えることになるだろう。仮想通貨リブラを提案したときの脇の甘さから米国政府に押しまくられた感があるフェイスブックや、ネット通販を軸にウエブサービス全般を手掛けるようになったアマゾンとは違い、少なくともグーグルとアップルの二社に対しては、国家あるいは政府といえどもしばらく手が出し難い状況が生まれ、もしかすると長く状況が固定化するかもしれない。

実際、この二社、EN機能を利用可能とするに当たり、それを利用するシステムは一国一システムにするよう条件を付けているということである。接触追跡を中央管理サーバーで一元的に行う方式の英国やフランスならともかく、ドイツや日本のようにスマホが通知を受けて自己管理的に行う方式を採用するのであれば一国一システムである必要などないようにも思えるので、この辺りからは、新たな挑戦者の登場を抑えたいとか、政府からの分割あるいは独占排除命令を避けたいとかいうような意図が匂わないでもなく、いささか薄気味悪くなるところもある。

私事ながら、第二章でも紹介した『国家・企業・通貨』では、国家と企業の力関係が逆転し、国家が企業を競わせるのではなく、企業が国家を競わせる時代に入りつつあるということを書いていたのだが、そのときにはコロナ禍のような「非常時」が、企業が国家のようになることを一気に引き寄せるとまでは予想できていなかった。未来というのはわずか先のことでも分からないものである。

懸念の理由はまだある。その第二は、将来の締め付け強化の可能性である。いったんEN機能を多くの人たちが取り込んだ状態が生まれれば、感染状況が深刻化してきたときには、日本のようにスマホが危険度を認識するのではなく、アプリとサーバーの機能条件を変えて英国やフランスのようにセンターが感染可能者を発見するシステムへと追跡力を強化すべきだという意見が勢いを得るかもしれない。もっとも、その場合でも、輪転近接識別子方式を採用していれば、それが直ちに感染可能性のある人を拘束して隔離することにつながりはしない。だが、感染がさらに深刻化してきたらどうだろう。そうなれば、わが日本でも、人の命は何より大事だ、公衆衛生を守るためにはシンガポールやオーストラリアのように個人特定情報を直接ＩＤにせよ、感染疑惑者を直ちに拘束できるようにするために輪転近接識別子などやめてしまえ、という方向に議論が流れていく可能性だって否定できないのではないだろうか。

システムはトロイの木馬になるか

しかも、さらに注意してほしいことがある。それは、今の世界で急速に展開されつつあるのは、文字通り「接触追跡アプリ」であって「感染者追跡アプリ」ではないことだ。だから、追跡したい人を、ＣＯＶＩＤ‐19感染者ではなく消費者運動参加者や反政府活動参加疑惑者などに変更すれば、それは貴方のところに、企業の説明員と称する物腰柔らかで慇懃無礼な紳士風の人物が訪れてきたり、警察手帳を胸ポケットにしのばせた公安関係者が不意に姿を現したりする可能性にもつながるだろう。ＣＯＶＩＤ‐19対策のための接触追跡アプリは、その取り入れ方次第では、民主主義を信じる私たちにとっての現代の「トロイの木馬」になりかねないし、その危険は一国二制度崩壊の危機に向かい合っている香港の若者たちなどにとっては現実になりかけている脅威だろう。このシステム、果たして世界標準になどなるのだろうか。また、それを看過して良いのだろうか。

関連して考えれば、グーグルとアップルの二社が接触追跡アプリの技術インフラであるＥＮ機能を握っている点もさらに気になるところだ。こんなことなど想像もしたくないが、米国の公安部門がグーグルやアップルと結んでアンドロイドやｉＯＳの中のＥＮ機能の匿名保護性を無力化する仕掛け（ソフトウェア用語では「バックドア」つまり「裏口」という）を作っておくということも、可能性としては考えられてしまう。これは、ＯＳソースコードが非公開のｉＯＳでは今でもしばしば語られる「怖いお話」の一種であるし、ソースコード公開のアンドロイドでも公開版のＯＳと実装版のＯＳとをすり替えてしまえば、そこで「怖いお話」が出来上がってしまう。

具体的に考えてみよう。この場合、システムに参加しているスマホから出力されて来るのは暗号技術を使って十分ごとにランダムに変化するよう特徴付けられた輪転近接識別子と呼ばれる百二十八ビットの数字列のみであり、その外形的な特徴は「十分ごとにランダムに変化する」というだけだということに注目すれば、ＥＮ機能の動作を参加者の個人特定情報などを当局が管理する暗号鍵で変換した数字列を出力するようすり替えてしまっても、普通は見破られることはないはずだということにも気付くはずだし、これは公安とか国防などという仕事に従事するエンジニアなら誰でも考えそうな仕掛けでもある。そうなれば、ｉＯＳやアンドロイド準拠のスマホを作る企業や工場が内密に協力さえしてくれれば、街中を歩いている人の携帯電話番号が、すれ違う人の中に紛れ込んでいる治安公安当局者にとって丸見えという状態を作ることは容易な話だし、英国やフランスのように接触追跡を中央管理サーバーで一元的に行う方式だったら、その管理サーバーを見るだけで街中の人々の動きが人物を特定しつつ観察できることになってしまう。

そんなことになったら、日本は接触時に交換する情報に個人特定情報を使っていないから安心だ、さらに接触状況の「追跡（これを日本では「確認」と言い換えているわけだ）」も自分でしかできないのだから安心だなどと思い込んでいると、やはり日本人は人が良いなどと世界のどこかで誰かが薄笑いするかもしれない。そんな馬鹿なことをと思わないでほしい。スマホ市場世界シェア一八パーセントの中国企業ファーウェイ（華為）社において、彼らが作成する通信機器にそうしたハードウェアあるいはOSレベルでの細工をやっているのではないかという「疑惑」が生じ、世界最高レベルにあるとされる米国のインテリジェント機関が全力をあげてこの会社を追い回しながらも、ついに決定的な証拠を得ることができていないという状況は、こうしたシステム上の「裏口」を発見することの難しさを物語っている。

いや、米国連邦政府がグーグルとアップルのEN機能に対する態度を明確にしていないらしいことすらも、私のような心配性の者にとっては勘繰りの種になる。いつもは世界の先頭に立つのが好きな米国で連邦レベルでの動きが表に出て来ないのは、この国のインテリジェント機関の中枢に当たるNSA（国家安全保障局）あたりが、両社と何らかの交渉中なのではないかとすら思えてしまうからである。もしそうであれば、日本政府にとっても茫然とするような話がジャンケン後出し型で飛び出して来るかもしれない。ある晴れた朝突然に、この国から「国家と世界の安全管理を考えて、米国は英国やフランスのような集中管理型を採用するから、日本やドイツもそうすべきだ、そうしないと米国入国ビザ発給を制限する」などと言われ、わが日本政府が慌てふためくというようなシナリオである（各国の方式の違いについては**図表3－1参照**）。最重要な同盟国とおだて上げる国に対しても、これくらいのことは過去に何度もやってきたのが米国のお国柄なのである。

では、どうすればよいのだろう。私は、世界を疑惑と駆け引きの迷宮から救うためには、ユーザー自身がシステム全体のイニシアティブを握る以外にないと思っている。輪転近接識別子を発生させる暗号鍵をOSではなくユーザーのアプリで作成し管理することで、輪転近接識別子が正当に作られているかを誰でも確認できるようにすること、そしてシステムから得られる情報をユーザー共有の記録システムで管理すること、この二つである。この場合の記録システムの条件は、匿名性が確保される一方で勝手な書き換えはできないこと、政府といえども記録システムの管理を乗っ取ることができないことである。そんな条件を満たすものはあるだろうか。

それはある。それが分散かつ公開の条件を満たしながら公正性を維持することができるデータベースつまり「ブロックチェーン」である。

イニシアティブを取り戻せ

ブロックチェーンについては多くの説明は不要だろう。この仕組みそのものについては、拙著『中央銀行が終わる日～ビットコインと通貨の未来』(二〇一六年・新潮選書)で書いているので、本書ではその原理的な構造だけを図表3－3に示しておこう。

この構造図で鍵になるのが「暗号学的ハッシュ関数」という仕掛けだ。ハッシュ関数というのは、与えられたデータを攪乱して一定の長さの数字列に圧縮する関数なのだが、暗号学的ハッシュ関数は与えられた元データであるXを入力すると必ずHという答を得ることができる。しかし、ここで入力値Xが一文字いや一ビットでも変化すると答であるHはまったく異なる値に変化してしまい、誰でもXからHを計算することができるが、HからXを逆計算することはできない(やろうとしても天文学的な計算量が必要になり現実的に不可能になる)という「一方向性」という性質を持っている。

図表3-3　接触情報記録のためのブロックチェーンの概念図

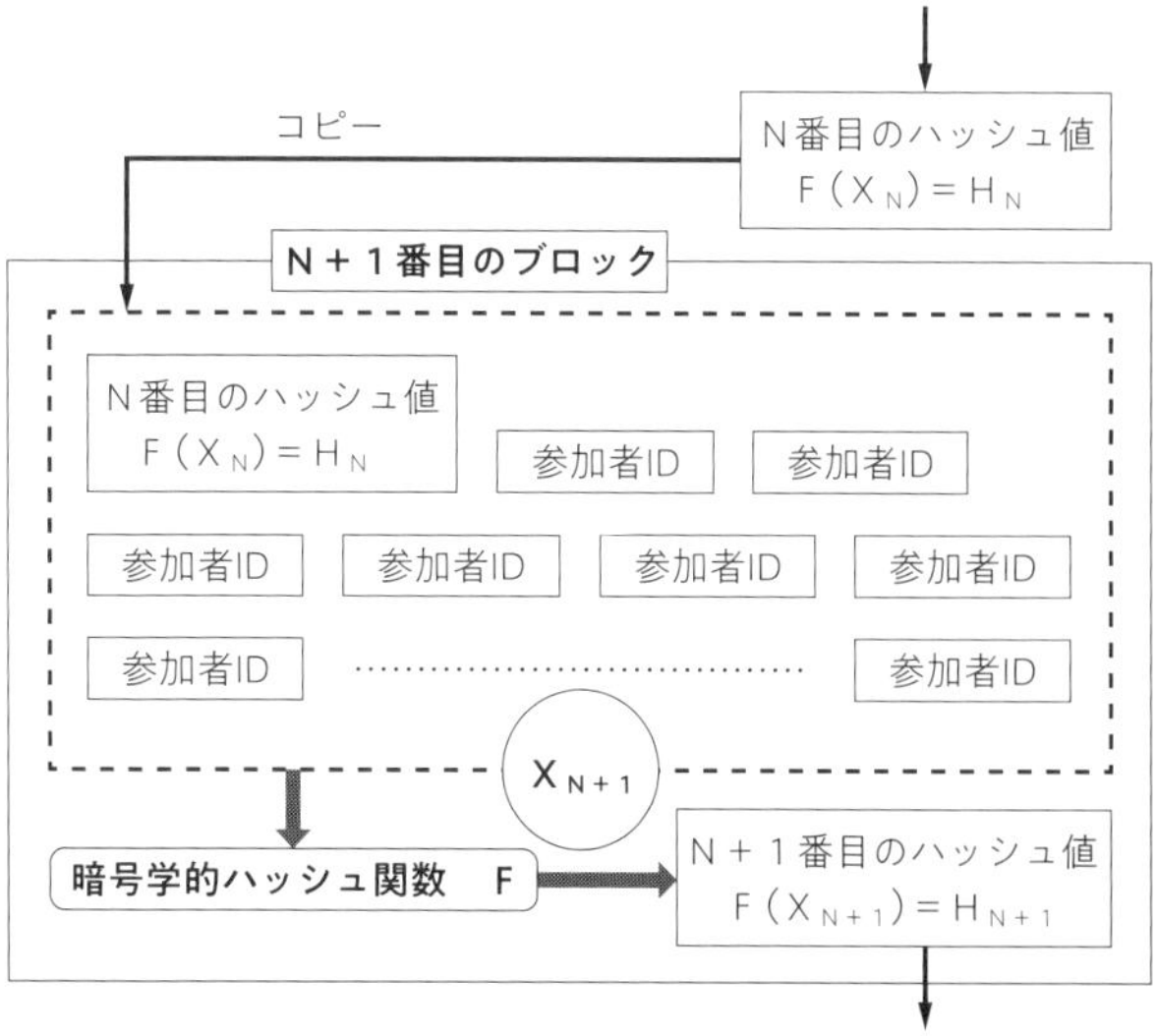

ちなみに、仮想通貨でのブロックチェーンの使い方は、個々の仮想通貨システムが各々に定義した数秒とか数分というような一定の時間長の中で発生する仮想通貨取引データの全部を暗号学的ハッシュ関数Ｆへの入力データＸとし、それから得られる出力値Ｈを次のブロックの入力値の中に放り込んでおくというだけのものなのだが、こうした暗号学的ハッシュ関数の一方向性を利用したデータ連鎖（チェーン）が公開されて、誰でも不正をチェックすることができるようになっていると、いったんブロックチェーンに書き込まれたデータを事後的に書き換えようと

するのは事実上不可能に近くなってしまう。それを行うためには、人々が自由に閲覧しコピーしている公開された記録を、その記録が開始されたときに遡って作り換え、あわせて世界中の既アクセス者が保管しているかもしれないデータを無理やりにでも書き換えなければならないからだ。

これが、中央管理者のない記録を通貨として取引可能な数字とする仮想通貨が、現実に存在して決済手段として機能する理由である。仮想通貨に対しては好悪もあるし賛成反対もあるだろう。だが、こうしたやり方をするブロックチェーンが改変困難な記録体系となり得るということは、多少ともコンピュータ知識のある人なら、ほぼ例外なく認めるところである。このブロックチェーンを使えば、近接データ管理システム全体の運営を政府でなく民間競争に委ねながら、多数のブロックチェーンをクロス検索することもできるはずで、それなら近接履歴情報管理が、そもそも日本が不得意な国家対国家の不毛で危険なゲームになることも防げるはずなのである。

ところで、こうしたことを言うと、疑問を持つ読者もいるはずだ。人と人との近接履歴情報をブロックチェーン化して公開してしまうと、私たちのプライバシーはどうなるのか、政府どころか私たちを商売ネタにしようとする不届きな輩からも、私たちの行動履歴が丸見えではないかという疑問である。だが、そこは程々まで安心してよい。現行のEN機能では、ランダムな値をユーザーのその日の日次ＩＤとして設定し、そこから一方向性をもつ関数を使って最大百四十四個の（したがって十分間おきの）輪転近接識別子を作ってブルートゥースで交換している。感染が分かった人は自分の過去二週間分の日次ＩＤをサーバーに送り、全ユーザーがそれをダウンロードして各々輪転近接識別子を計算し、自分がスマホに保管してある過去二週間分の識別子と突合する。だから、そのやり方に倣って、ＥＮ機能における日次ＩＤのように定期更新される参加者ＩＤだけをブロックチェーンに書き込めば、要するにすべてのユーザーがダウンロードしていただろうデータを公開データベースに書き込むだけのことなのだから、同じプライバシーの水準を維持したままで、システムの管理を政府から一人ひとりの個人に移せることになる。誰でもブロックチェーンに書き込めるなら、虚偽の感染報告をして、たとえばあの日同じ電車に乗り合わせた人たちに濃厚接触リスクの通知が届くようにして余計な心配をさせてやろう、などとよからぬことを考える輩が出現するのでは、と心配する向きには、検査に当たった医療機関のデジタル署名が報告に付いていなければ無効、などとすればよいだろう。

もっとも、巧妙にできているように思えそうなこの方法にもリスクがないわけではない。日次ＩＤが公開されると（ダウンロードできるようになっていても同じだが）、その人がその日に用いた輪転近接識別子がすべて分かることになり、ブルートゥースで取得できる識別子や取得した際のＧＰＳ位置情報および時刻情報を広域で収集して回っているような不届きな集団がいたりすると、感染報告した人のその日の行動を追跡できてしまう可能性がある。ただし、この程度のリスクだったら、日次ＩＤを公開するのではなく、ややデータ量がかさむとはいえ、個々の輪転近接識別子を公開する方法で対処すればよい。データ量がかさむと言っても、一人二週間分で最大三十二キロバイト程度のデータである。

さらにもう一歩進んで、ＩＤ同士の近接記録そのものをブロックチェーンに書き込むことも考えられる。私たちが近接履歴記録のために交換するＩＤの作り方を工夫し、たとえば各々の参加者は自分で非対称鍵ペアを作成して、ペアのうちの公開する暗号鍵のハッシュ値をＩＤとして使用することにすれば（非対称鍵ペアとは何かとか暗号鍵の公開とかいうことの意味については『中央銀行が終わる日』を参照して欲しい）、デジタル署名を用いて当人しか近接記録を書き込めないようにできるし、自分のＩＤが何かを知っている本人はブロックチェーンに書き込まれたデータから、自分が感染者と近接していたことがあったかどうかを知ることができるが、その反対方向の推論つまりブロックチェーン上のデータからシステム利用者そのものの行動履歴を追跡することはほとんど不可能になる。分かるのはＩＤ同士の近接情報だが、それだけでは、どこの誰がどこの誰と近接していたかを追跡できることにはならないからだ。

そんなことでプライバシーを守れるのかという気がするかもしれないが、この方法つまり自分に関する情報そのものをＩＤにするのではなく、そのハッシュ値をＩＤにするというのは、情報秘匿の方法論としては思いのほか強力で、ビットコインもこの方法で使用者情報を守っている。治安公安当局や金融管理当局が、「仮想通貨は取引情報が公開のブロックチェーンに記録されているにもかかわらず取引秘匿性が高すぎる、マネーロンダリングやテロなどの犯罪インフラになりやすい」という理由で歯ぎしりして取扱業者への規制を行っているのは、仮想通貨がこのようなやり方でＩＤを作り利用者情報を守っているからだという面がある。だから、こうしたＩＤ作成法を取れば、ブロックチェーン型のデータベースを公開しても、たいていの不正アクセス（情報システムが目的外の狙いで利用されることを「不正アクセス」という）を阻むことができる。

付け加えておくと、単純に暗号学的ハッシュ関数を使うという程度のＩＤ変換だけでは、不正アクセスを完全に阻むことはできない。これは『国家・企業・通貨』で書いた話だが、公開されているＩＤ間での近接履歴を分析することでどのＩＤがどのＩＤと「近い関係」にあるかを推論してＩＤ設定者の「正体」に迫ることが可能だからだ。ただし、この種の不正アクセスに対しては簡単だが有効な対策がある。あらかじめ多数のＩＤを作っておき交換のつどランダムに選び出したＩＤを使用することにしたり、暗号技術を使って一回ごとに変異するＩＤを用いることにしたりすれば、いくらブロックチェーンを眺め回しても、そこに書いてあるＩＤの正体に迫ることはほぼ完全に不可能になるはずだ。何かと批判が多かった仮想通貨ブームで得られた知識や経験を活用すれば、政府や大企業がビッグブラザー化するリスクを回避しながら、近接履歴データベースを安全な社会のための共有基盤として構想することは、少なくとも原理的には難しくないのである。

誰に検索を預けるか

もう少しシステムの実際を考えてみよう。センターが管理する集中型システムであれば、近接履歴情報から浮かび上がってきた感染可能性が高い人に対して、システムがメールなどで「通知」を出せば足りるが、利用者自らが危険度を確認する分散型システムの場合は自分が持つパソコンやスマホなどの道具を使って全データベースを検索しなければならない。しかも、利用者が自分についての行動履歴把握や本人情報推論に使われることがないよう多数のＩＤをランダムに選んで使うなどとしていると、自身の感染可能性を確認するために検索を行おうとする度に無視できないほどのシステム負荷が生じることになってしまう。より便利な方法はあるのだろうか。

解決策はある。もし近接履歴が公開型のブロックチェーンのようなものに記録されていることになれば、自分のリスクつまり感染者近接可能性を知りたい本人に代わってブロックチェーン記録を検索し、過去どころか現在の行動に潜むリスクまでも警告してくれるサービスは必ず現れてくるはずだからだ。だから、そこで大事なことは、こうしたサービスの提供者自身がビッグブラザー化することがないように、それが競争的なビジネスとして提供されるよう気を配ることである。どうすればよいだろうか。

最も単純な解決は、そうした事業者が検索で得た情報を「悪用」しないよう監視する役割を政府に求めることだが、それは良いアイディアではない。そもそも近接履歴情報を中央管理に委ねると、管理者となる政府がビッグブラザー化する可能性があると考えて、そのリスクを小さくするため、本人情報の秘匿性をユーザーが管理する暗号鍵で保証するブロックチェーンによる自己リスク検索の仕組みを考えたのに、そこでの検索支援のためのサービス自体がビッグブラザー化するのを防止するために政府にご登場を願うというのでは本末転倒である。

そこで私が提案するのは、近接履歴情報管理のためのブロックチェーンにビットコインなどで機能性や問題の所在が確かめられている仮想通貨生成つまりマイニングの仕組みを取り入れ、あわせて一つのブロックチェーンに近接履歴情報と仮想通貨の生成および移転に関する情報の全部を記録することにしたらどうかというものである。アイディアの基本は図表3－4に示すが、要するに図表3－3の基本アイディアの中の「参加者ＩＤ」としてあるところを「近接履歴」に書き直し、さらに仮想通貨の取引や生成にかかわる記録セグメントを付け加えただけである。

仮想通貨の草分けでもあるビットコインにおけるマイニングの仕掛けと、それが市場で評価されるような「経済価値を持つ通貨」を作り出す理由については『中央銀行が終わる日』で解説したとおりである。だから、それと同じ考え方で近接履歴情報管理のためのブロックチェーンにもマイニングの仕組みを取り入れれば、ブロックチェーンを維持管理する役割も政府などの監督管理によらず、意欲ある起業家たちの競争に委ねることができるはずだ。また、そうした起業家たち（彼らがビットコインにおけるマイナーである）が作り出した仮想通貨（名前を付けないと不便なので「感染警告：Infection Alert」の頭文字を取って「ＩＡコイン」とでも呼んでおこう）を購入し、それを自分に代わってブロックチェーンを検索して感染リスクについての警告（アラート）を自分にだけ通知してくれるビジネスへの支払いに充てるということにでもすれば、原理的には感染症から自身たちの力で自身たちを守ろうとする人たちの間で流通するＩＡコイン通貨圏と言うべきものが、一種の仮想通貨圏として出来上がることになる。これでどうだろうか。

図表3-4　仮想通貨を取り入れた接触情報記録ブロックチェーンの概念図

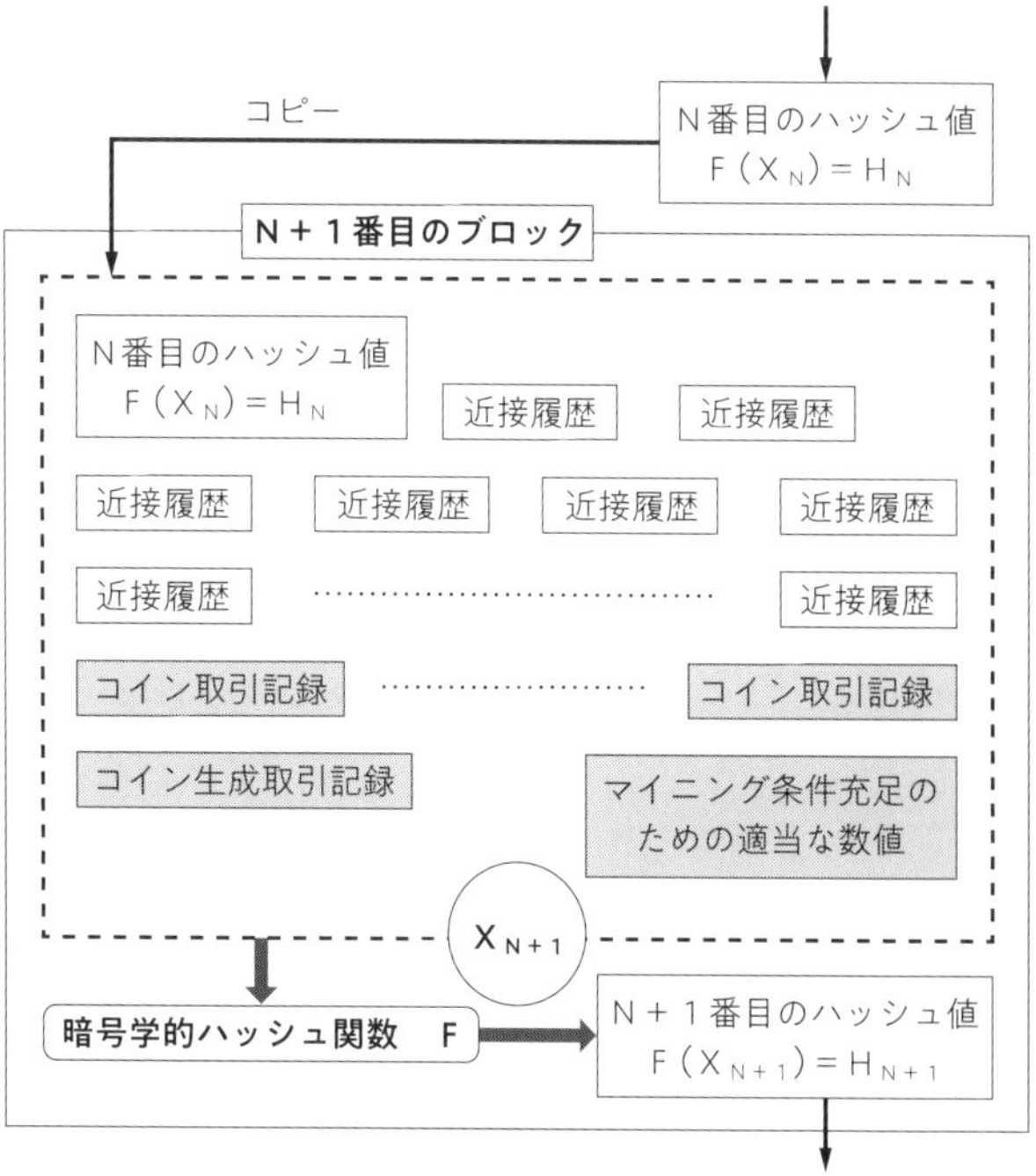

こう説明すると、現在の仮想通貨の問題点を知る読者からは懸念の声が上がるかもしれない。それは、現に存在する仮想通貨たちの市場価格があまりにも不安定で投機の対象となっていることから来る懸念だろう。だが、ビットコインのような仮想通貨の価格が不安定なのは、マイニングに参加するリソースが増加すると、マイニングに必要な計算量が増加し、それが新規に通貨を作り出すための限界費用増加につながり、そのことが市場価格を押し上げ、それがさらなるマイニングへの参入を促すという投機自己増殖性を仮想通貨考案者たちによって与えられてしまっているからに過ぎない。だから、現在の多くの仮想通貨の価格不安定性はマイニングのルールをわずかに変更すれば修正可能である。仮想通貨への需要が増えれば市場原理でマイニングに参加するリソースも増え通貨供給量が増加するという仕組みも普通に設計することができるのだ（このことは『中央銀行が終わる日』でもやや詳しく書いているが、それを数人の仲間と一緒に "Can We Stabilize the Price of a Cryptocurrency?: Understanding the Design of Bitcoin and Its Potential to Compete with Central Bank Money" として論文公表したところ、こちらには思いのほか多くの暗号研究者および経済学者から賛同を頂くことができた）。

話を進めよう。こうした仕組みのＩＡコインが流通し始めたらどうだろう。このコインの保有者同士の集まりであれば、ＩＡコイン保有者でない人たちの集まりよりも安心して参加できるはずだ。ＩＡコイン保有者同士（正確にはコインシステム参加者同士）の集まりであれば、その集まりにウイルス感染者がいることが分かれば直ちに検索サービス提供者から通知が来るよう取り決めることができる。あるいは、システム参加者が自分でブロックチェーンを検索するのでも良いし、ブロックチェーンの維持管理を担うマイナーがマイニングの傍らで検索して通知するのでも良い。いや、その方が良いかもしれない。そうしたマイナーの行動もブロックチェーンの記録に残すことにすれば、マイナーがきちんと出すべきアラートを出し、出すべきでないアラートを出していないかということも、他のマイナーによって常に監視されることになるからだ。

また、こうしたオープンな仕組みであれば、参加者による自己のリスクに対する認識を、さまざまなかたちでＩＡコインのプラットホームであるブロックチェーンに書き込むことができる。書き込む内容は、感度七〇パーセントなどというＰＣＲ検査の結果などに限定する必要はない。熱とか咳とかに関する現状の報告だって十分過ぎるほど役に立つだろうし、それにかかりつけ医の所見でも添えてあればもっと意味がある。スマートウォッチが検出する呼吸や心拍などのバイタルデータも使えるかもしれない。そう考えれば意味のある感染可能性情報を書き込んでくれたシステム参加者にはＩＡコインで報酬を払うというような仕組みもあり得るはずだ。もちろん、ＩＡコインで報酬を払うなどという話になると、そうした仮想通貨取引の追跡で匿名性が破られてしまうのをどうするかなどは工夫しなければならないだろうが、そこは何とでもなるだろう。仮想通貨取引の移動追跡を困難にして匿名性を高める技術のうちのいくつかは（有名なものでは「ミキシング」などという技術があるが説明は省略する）、それこそ今すぐにでも使えそうだからだ。

そろそろ話を変えよう。次は、コロナ禍に対するための財政と金融の総動員ともいえる政策が、私たちの世界の未来に何を運んで来るかを考えることである。

第 4 章

金融政策ノーリターン？

なぜインフレにならないのだろう

ウイルス感染拡大に一応の歯止めがかかる一方で、経済の落ち込みが深刻になっている。今度のウイルスによる経済の落ち込みは、まず中国で激しかった。二〇二〇年第一四半期の中国の実質GDPは、前年同期比でマイナス六・八パーセントと、四半期ベースでのGDP統計を公表し始めた一九九〇年代以来で初めてのマイナス成長に落ち込んだ。しかし、通年で予想される経済の落ち込みは欧米そして日本の方がより深刻である。たとえば、四月に国際通貨基金（IMF）が公表した世界経済見通しでは、二〇二〇年の米国のGDPは通年で前年比五・九パーセント減、ドイツが七・〇パーセント減、日本は五・二パーセント減となっている。

こうした厳しい現実を前に、各国は異例とも言える規模での財政出動に動いている。六月五日現在での日本経済新聞のまとめによれば、米国の財政出動規模はGDP比で一二・三パーセント、英国は一〇・九パーセント、ドイツは七・七パーセントなどという数字が並ぶが、なかでも日本は一八・六パーセントと突出と言ってよいほどの大きさである。

だが、さらに異例なのは金額よりも中身である。各国の財政出動の中身は、国民あるいは家計への現金給付（日本・米国）、中小企業への給付金（日本）、休業者給与補塡（英国）など、コロナ禍による経済の急停止で職や収入を失った人たちへの生活支援がその主体になっているからだ。経済の落ち込みに対するための財政出動の中身が、公共事業とか子育て支援というようなものであれば、それが所期の目的通りの効果をあげる限り、いずれは国を豊かにしてくれるはずだ。つまり、少なくとも建前上は、財政が行う公共事業や子育て支援には将来の税収増を作り出すための「投資」のような効果があるといえる。だが、今回のコロナ禍による経済の落ち込みに対して展開されている財政出動の基本は、その影響を強く受けた人たちへの生活救済であり、そこには将来の豊かさを生み出すための投資のような趣旨はない。そこで心配になるのは、こんなことをやっていて大丈夫だろうか、今のところインフレは起こっていないが、こんな無理をしていると景気が落ち込む一方で物価は上昇するという現象、いわゆる「悪いインフレ」が起こってしまわないだろうか、ということである。以下の二章では、その辺りを考えることから、コロナ禍とそれに対する政府や中央銀行の行動が作り出す問題に入っていくことにしたい。

現代の経済学者たちは、政府や中央銀行が、将来税収の裏付けなく貨幣や国債つまり政府債務を人々に交付することを、ヘリコプターからマネーをばら撒くことに等しいという意味を込めて「ヘリコプターマネー」略して「ヘリマネ」ということがある。ヘリコプターからマネーをばら撒くなどという喩えを持ち出すのは、ミルトン・フリードマンが一九六九年に刊行した書（The Optimum Quantity of Money and Other Essays）に由来するのだが、この喩えの適不適はともかく、そうしたことを行えば、政府や中央銀行の財務バランスは悪化し貨幣価値は下落して物価は上昇しそうなものだ。さて、ここでクイズである。そうしたヘリマネ的な財政出動を行っているにもかかわらず、なぜ先進国たちの通貨は強いのだろうか。なぜ、日本そして欧米でも物価上昇の気配さえも見えないのだろうか。

一つの答は、経済の落ち込みに伴い人々のデフレ心理が深刻化しているというものだろう。だが、それは、説明になっているようでいて、なっていない面がある。これだけ大きな実体経済の落ち込みのなかでも、日米欧の株式市場は大きく崩れていないからだ。もし、このコロナ禍でデフレ心理が一気に深刻化したのなら、株式市場も弱気化し大きく値を下げているはずだ。だが、それは起こっていないのである。人々はウイルスを怖れてはいるが、経済への影響は一時的なものだろうとも信じているらしい。日米欧などで物価上昇の兆しすらも見えない理由は、単なる景気後退の影響以外にあると考えた方が良さそうだ。それは何だろうか。

ここでは、それを「物価水準の財政理論：Fiscal Theory of the Price Level」略して「ＦＴＰＬ」と呼ばれる理論モデルをベースに考えてみることにしたい。ＦＴＰＬという考え方が経済学の標準理論の一つとして認められたのは意外なほど新しく、二〇一〇年代に入ったころからのことなのだが、コロナ禍に対する財政出動が何を起こすかというようなことを考えるときには、簡単で分かりやすい未来図を与えてくれるところがある。以下では、このＦＴＰＬという視点から、ウイルスへの怖れとともに生きることになりそうな世界と日本の課題を考えてみることにしたい。

ＦＴＰＬの基本的枠組み

現代の貨幣は形式的には政府から独立した中央銀行が発行しているが、それは貨幣価値が政府に依存しないということを意味しない。中央銀行の独立とは基本的に意思決定における独立であり、財務基盤における独立ではないからだ。理由を説明しよう。

図表４－１は、拙著『金融政策に未来はあるか』（二〇一八年・岩波新書）からの再掲だが、要するに、政府と中央銀行に帰属するプラスの経済価値を「資産」と呼ぶことにし、マイナスの経済価値を「負債・資本」と呼ぶことにして、それを企業バランスシートのイメージで左右に並べたものである。

ただし、これらのうちで政府債務償還財源Ｓとあるのは、財政計画などにある将来歳入か

図表4-1　FTPLの基本構造

政府のバランスシート

（資産の部）	（負債・資本の部）
政府債務償還財源（S） 中央銀行自己資本（K）	市中保有国債（B） 中央銀行保有国債（C）

中央銀行のバランスシート

（資産の部）	（負債・資本の部）
中央銀行保有国債（C） 対市中与信（L） 金準備等（Z）	ベースマネー（M） 中央銀行自己資本（K）

↓

統合政府のバランスシート

（資産の部）	（負債・資本の部）
政府債務償還財源（S） 金準備等（Z） 対市中与信（L）	ベースマネー（M） 市中保有国債（B）

↓

名目純債務額と実質償還財源額との比率が物価水準Pなので、

$$P = \frac{M + B - L}{S + Z}$$

となるが、小さな項目を無視すれば、

$$P = \frac{M + B}{S}$$

が得られる。これが物価水準決定式になる。

ら歳出を差し引いた残差という意味ではない。それは、人々が政府や中央銀行に対して抱く将来の価値の出入りに関する実質ベースでの予想であって、将来税収だけでなく国家体制や国際関係の変化などが惹き起こす経済価値の出入りに関する漠然とした期待のようなものの現在価値合計である。また、「統合政府」というのは、財務的にみると政府と中央銀行とが一つながりであることから来るFTPL独特の呼び方である。

次に、このバランスシートの主要項目である市中保有国債Bとベースマネー Mそして政府債務償還財源Sとの関係性を、BとMは名目額でSは実質額であることに着目して名目価値と実質価値との関係性として計算し直したのが、**図表4ー2**における「FTPLの物価水準決定式」である。ここで「i」としたのは名目金利のことで、また「r」は自然利子率とか実質均衡金利と呼ばれる実質ベースでの利子率つまり割引率のことである。ちなみに、名目金利は中央銀行が金融政策でコントロールしているはずだが、自然利子率は、現在の豊かさと将来の豊かさとの交換比率（相対価格）なので、少なくとも短期的には金融政策で操作できる変数ではない。なお、銀行券や中央銀行預金の合計額であるベースマネーMには期限という概念がないので、市中保有国債Bや政府債務償還財源Sの残高について行った「現在価値に割り引く」というような操作は行っていないことにも注意してほしい。

さて、こうして単純化すれば、国債発行による財政出動が物価に与える影響について考え

図表4-2　割引現在価値で整理した物価水準決定式

①市中保有国債残高Bは各期の支払義務額をb_1, b_2…などとすれば、
現在から限りなく未来までの価値を定式化して下記のように表現できる。

$$B = \frac{b_1}{(1+i)} + \frac{b_2}{(1+i)^2} + \cdots = \Sigma_{k=1,\infty} \frac{b_k}{(1+i)^k}$$

②統合政府債務償還財源Sは各期の支払義務額をs_1, s_2…などとすれば、
現在から限りなく未来までの価値を定式化して下記のように表現できる。

$$S = \frac{s_1}{(1+r)} + \frac{s_2}{(1+r)^2} + \cdots = \Sigma_{k=1,\infty} \frac{s_k}{(1+r)^k}$$

③FTPLの物価水準決定式

$$P = \frac{M+B}{S} = \frac{M + \Sigma_{k=1,\infty} \frac{b_k}{(1+i)^k}}{\Sigma_{k=1,\infty} \frac{s_k}{(1+r)^k}}$$

やすくなるし、黒田東彦日銀総裁による異次元緩和と称する大規模なベースマネー供給が結果的に物価にほとんど影響しなかった理由も分かりやすくなる。

国債を発行して公共事業を行えば物価が上がってインフレが起こると私たちは考えがちだが、それはそうと決まったわけではない。国債の増発は**図表4－2**で「FTPLの物価水準決定式」とした等式の分子を増加させるが、一方で国債増発により賄われた公共事業が経済活動を活発化させ国を豊かにしてくれれば分母の政府債務償還財源を積み増す効果をも生じさせる。だから、財政出動が直ちにインフレに結びつくとは限らないのだ。もっとも、財政の動きが物価水準に影響を与えないというのは、教科

書の世界での話だという面もある。実感的に言えば、財政赤字の拡大はインフレ的だし縮小はデフレ的だろう。なぜ教科書と実感は食い違うのだろうか。

その答は財政出動の中身と財政ファイナンスのやり方にある。財政出動が一般にインフレ的な効果を持ちやすいのは、多くの場合、財政出動を賄うための国債発行（つまり分子の増加額）に見合うだけの政府債務償還財源（つまり分母の増加額）を生まない事業を失業救済などのために推進しようとするからである。また、そうした国債発行を支えるために中央銀行が金利を引き下げ、それがすでに発行され市中で保有されている国債の時価つまり現在価値を増加させてしまうからでもある。そうした財政出動と財政ファイナンスの組み合わせは一般にはヘリマネとは呼ばれないが、それは程度問題でもある。財政出動が、たとえば道路に穴を掘って埋め戻すということの繰り返しだとしよう。そんなことをやっても、それ自体は将来の税収に何らプラスの効果を生まない。だから、その限りでは、この種の「公共事業」は、何ら価値を作り出すことなくオカネをばら撒いているのと同じことだし、そして、そんな財政出動を支えるために金融を緩和したりすれば、要するにその実質はヘリマネに等しいことにもなる。

念のため、財政出動と金融政策の関係について整理しておこう。もし財政出動があろうとなかろうと中央銀行が名目金利をまったく動かさないよう金融政策を運営していれば、財政出動が物価に与える効果は、財政出動の金額と将来の政府債務償還財源の現在価値増加額との関係にのみ依存する。前者が後者を上回ればインフレ的だし下回ればデフレ的になる。しかし、話はそれで終わらない。もし中央銀行が国債の消化を助けてやろうと金利を引き下げれば、それは分子の市中保有国債Bの割引現在価値をプッシュアップすることになるからである。そして、そこまで考えれば、黒田日銀の異次元緩和が効果をあげなかった理由も明らかになるはずだ。金利がゼロという限界に行き着いた後での量的緩和である異次元緩和の本質は、それが、物価水準決定式右辺の分子第一項と第二項との等価交換に過ぎなかったからである。

だが、そのことをここで言い立てても仕方あるまい。私たちの今の課題は、コロナ禍に対する政策出動が私たちにどんなツケを残しているのかを考えることである。

コロナ禍だけでは恐慌は来ない

コロナ禍が世界恐慌を起こすのではないかという怖れが語られることがある。本章の冒頭でも眺めたような大きな経済活動の落ち込みについて、それに一九三〇年代の恐慌時以来なとどいう解説が付けられているのをみると、そうした怖れが語られるのも無理はない。ただ、これは大胆過ぎると叱られるかもしれないが、私自身は、ＣＯＶＩＤ-19だけでは恐慌は来ないだろうと考えている。理由はプロセスが違うからだ。

一九三〇年代の世界恐慌は株式市場の急落つまり人々の心の弱気化が先行し、それに実体経済が追随した。それに対し、今回は、実体経済の急激な落ち込みにもかかわらず、先進国の株式市場は大きな下落を演じることなく踏みとどまっている。人々はウイルスに感染することを怖れてはいるが、時間をかければ経済が回復するシナリオがあるとも信じているのだ。恐慌は、根拠なき楽観や粗雑な願望にすがろうとする人の心からやって来る。私たちが冷静さを失わなければ、ＣＯＶＩＤ-19のせい「だけ」では恐慌など来ないはずなのである。

しかし、それを危ういものにしてしまう要素もある。歴史の教訓は、根拠なき楽観が恐慌を生んだことを示している。魔法のような政策運営で永遠の繁栄が得られるかのような幻想を抱いてしまうと、それが裏切られたときの衝撃は大きくなる。世界恐慌もリーマンショックも、根拠なき楽観が醒めたときに起こった。足もとの感染ピークアウトだけを見てウイルスの脅威が去ったと思うことや、検査を拡充して厳しく隔離政策を運用すればウイルスの脅威が去らなくても成長が戻って来るというような議論を信じることは、それが結果に裏切られたときに人々の恐れる心を増幅し、そうでなければ来なかったはずのパニックすら生じさせかねない。

人間の心が必ずしも合理的なものでないことを事実としてとらえ、それを前提として現実を分析しようとする経済学の分野を実験経済学とか行動経済学という。この分野における先駆的な業績に、イスラエルのダニエル・カーネマンとエイモス・トベルスキーという二人の学者が一九七〇年代末に行った「実験」がある。彼らは多くの被験者を集め、集まった人たちに一定の仮定的状況でどう行動するかを問いかけた。そこで分かったのは、豊かな未来を展望しているときには無茶なギャンブルをしようとしない人々でも、深刻な不幸や不都合の可能性に向かい合うと、無謀とも言える一発勝負に賭けやすいということだった。

先進国の多くでは五月半ば過ぎ辺りからは感染のピークは過ぎたという理由で、外出の抑制を緩和する、あるいは経済活動の再開に踏み切る動きが活発になってきている。欧州のなかでは最も深刻な打撃を受けながらどうにか感染抑え込みに成功したと言えるイタリアやスペインばかりでなく、まだピークを過ぎたとまで言えそうもない米国でさえ経済再開に動き出している。各国が経済再開に動き出した五月下旬までの新規感染者数の動きは図表4－3に示した通りだが、イタリアやスペインそれに日本と比べると米国の動きはなお高原状で、六月後半からは再び増加に転じ、感染拡大の勢いは以前にも増しているようにもみえる。もっとも、今の米国大統領には相場師ばりの勝負勘のようなものがあって、今度の冬あたりに、このウイルスがスペイン風邪ウイルスのようにさらに凶暴なかたちに変異する可能性ま

図表4-3　経済再開までの新規感染者の推移

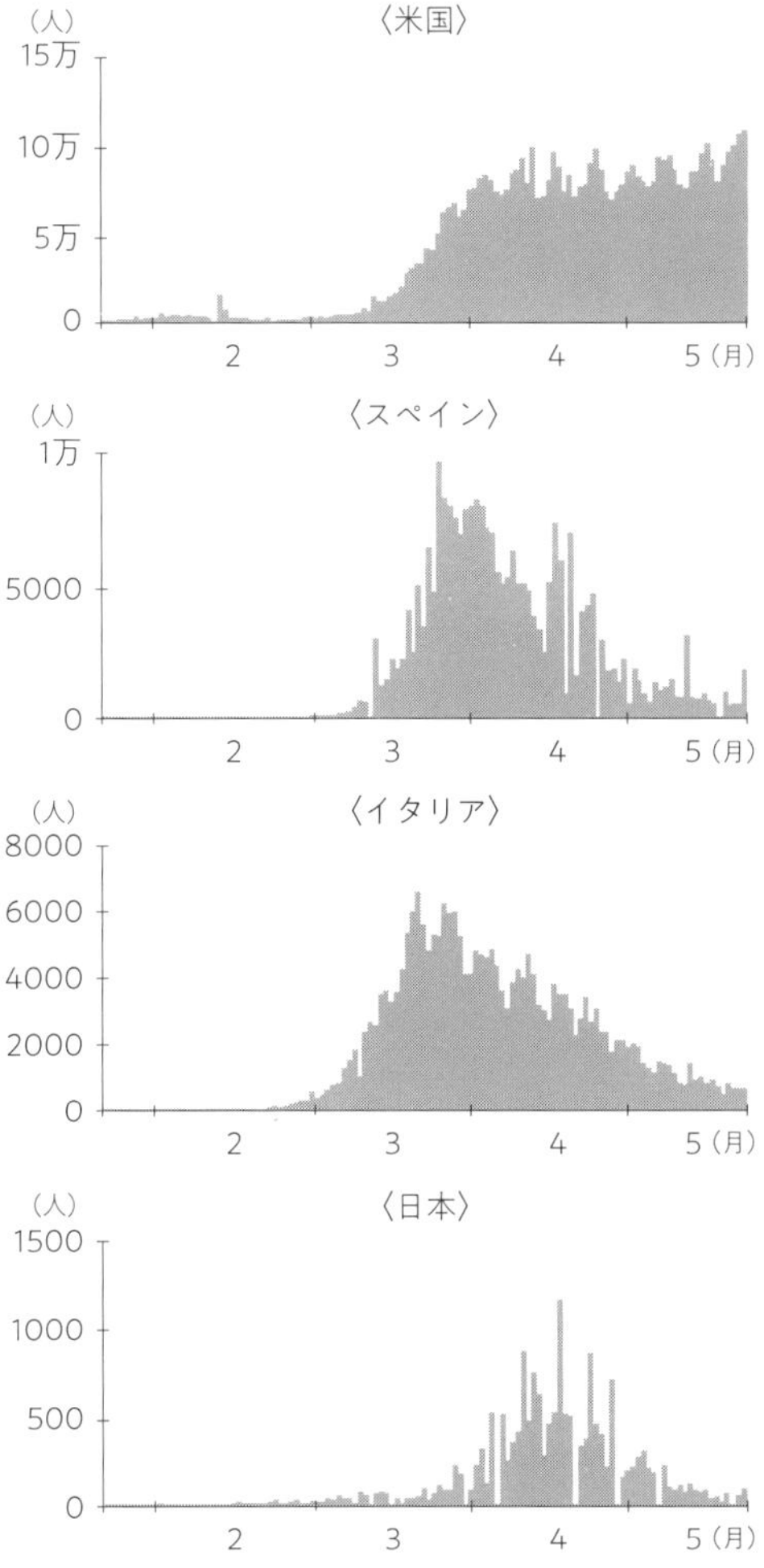

（出所）https://www.arcgis.com/apps/opsdashboard/index.html#/bda7594740fd40299423467b48e9ecf6

図表4－4　世界経済に占める欧米圏とアジア・アフリカ

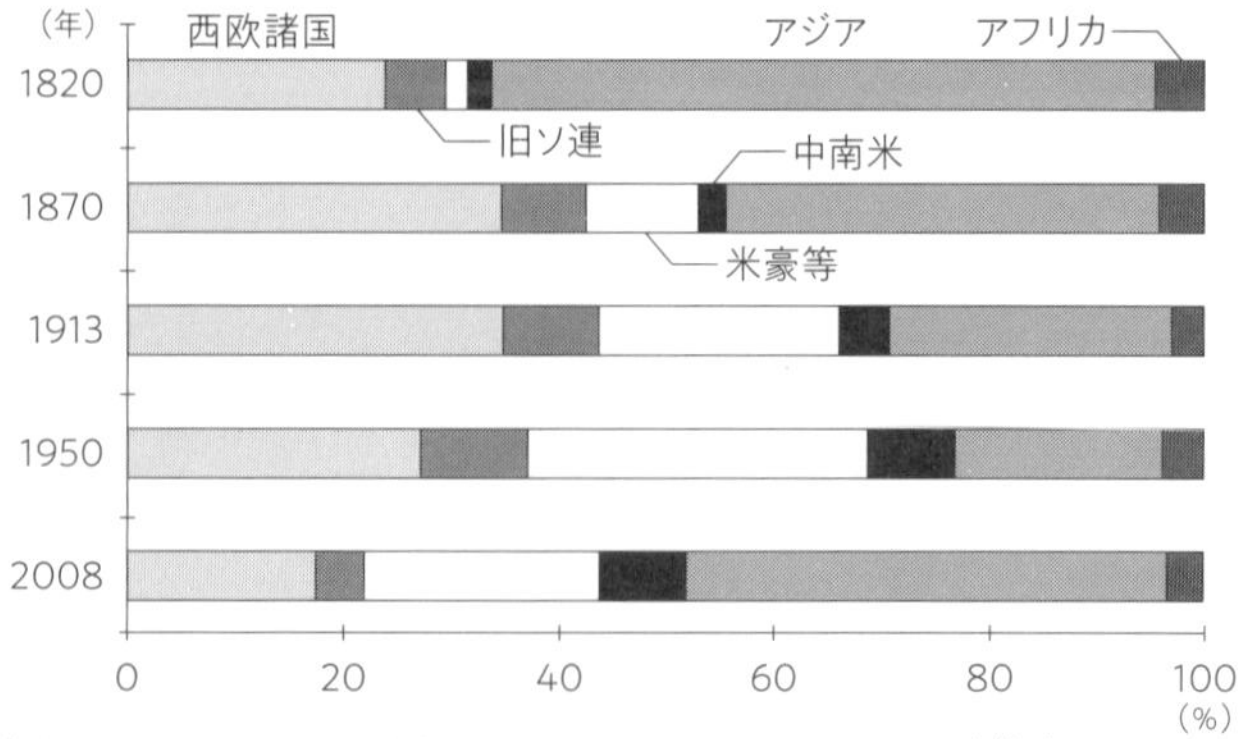

（出所）https://www.rug.nl/ggdc/historicaldevelopment/maddison/から作成

で読んで、それなら感染拡大一服感のある今のうちに多少とも米国民に集団免疫を付けておいた方が良いなどというような計算をしているのかもしれない。そこは分からないが、彼の一発勝負とも言える決断が裏目に出たら、ウイルスへの怖れは世界恐慌への怖れとなって、その自己拡大のサイクルに世界を引きずり込んでしまうかもしれない。ウイルス「だけ」では恐慌は来なかったはずなのに、である。

話を戻そう。**図表4－4**は、『国家・企業・通貨』で掲載した図の一部再掲だが、二〇世紀前半というのは欧米圏の経済規模が世界全体の七〇から八〇パーセントにも達していた時代だった。そうした時代だったからこそ、一九二九年末に米国や欧州に生じた人々の心の変化は一気に世界を恐慌に突き落としたのである。しかし、二一世紀の今は違っている。世界経済におけるアジアのシェアは大きく高まり、あのリーマンショックの二〇〇八年ですでに西欧と北米を合わせたそれを凌ぐに至っている。世界恐慌の一九三〇年代とでは基本状況は大きく違っているのだ。私は、暴力的とも言える都市封鎖や感染者収容などで感染拡大を抑え込んだ中国のやり方に共感を覚えることなどできないが、事実を事実として受け入れれば、こと実体経済の潜在力に関する限り、相対的に小さなダメージでウイルス第一波を乗り切った中国の存在は大きいと認めざるを得ない。

そして、市場におけるマインドという観点から見れば、このコロナ禍が人々の心の中で自己増殖する怖れではなく、経済活動の外側から生じた脅威であることは再確認すべきだろう。人の心の中で自己増殖する怖れでなければ、資本市場は、生じている禍（わざわい）を長い時間軸で吸収し、現在時点での富の毀損を抑え込む役割を果たせるからだ。日本や欧米の株式市場あるいは円・ドル・ユーロなどのいわゆる先進国通貨が底堅いのも、これらの国々における資本市場のリスク吸収能力が損なわれていないことを示している。二〇世紀の世界恐慌も二一世紀のリーマンショックも、それが資本市場のリスク吸収能力を直撃したから世界を震わせるものとなった。今回のコロナ禍はそれらとは質が違うことは認識した方が良い。コロナだけで恐慌を招き入れるほど、現代の資本市場は脆弱なものではない。私はそう思っているし、また、そう願ってもいる。

ではインフレのリスクはあるか

次に世界恐慌とは反対のリスクについても検討しておこう。コロナ禍でインフレは起こるだろうか。その可能性はある。ただ私があると思っているのは、景気後退と物価上昇の併進という意味での「悪しきインフレ」の可能性であって、貨幣価値がゼロに向かって突進するという意味でのインフレ、いわゆる「ハイパーインフレ」の可能性ではない。

ハイパーインフレとは通貨価値の最終的な担い手である統合政府の財政力への信認が失われたときに起こる。通貨価値が一兆分の一にまで下落したとされる第一次大戦後のドイツ、それよりさらに激しく一垓三千京分の一にまで下落した第二次大戦後のハンガリーのそれは(一兆の一万倍が一京、一京の一万倍が一垓である)、いずれも政府の財政能力が空っぽになるという怖れが作り出したものである。だが、コロナ禍に見舞われた世界で強まっているのは政府への依存であり、政府からの離脱ではない。それならば、政府が人々の信認を自ら遠ざけるかのような行動を繰り返すブラジルのような国を例外とすれば、世界の主要な国々がハイパーインフレに見舞われる可能性は低いはずである。

だが、それは悪しきインフレのリスクを排除するものではない。いや、日米欧などで展開されている危機対策としての財政出動は、それが将来の税収増を期待させるものでないだけに、悪しきインフレのリスクを高めている面がある。今の世界でそれが顕現化していないのは、新興国から先進国への富の移転の寄与が大きいのではないかと私は考えている。

現代の先進国の経済は、程々は豊かで蓄えもある人たちによって多く担われている。だから、コロナ禍のような危機が深刻なものとなれば、それが一過性のものである限り、先進国経済は一時的に活動を停止して危機が通り過ぎるのを待つことができる。しかし、新興国経済はそれができない。蓄えの乏しい彼らはウイルスが恐ろしくても働くほかはない。彼らの経済は先進国のように、一時停止して危機が通り過ぎるのを待つわけにはいかないのだ。しかも、彼らが生産する資源や一次産品は「国際商品」として、わずかな需給変動にも大きな値動きを演じるものが多い。このため、今回のような事態では、先進国と新興国との間の交易条件は新興国にとって不利な方向に大きく振れることになり、その結果として新興国の人々から先進国の人々への富の再分配が生じてしまう。

そして彼らにとってさらに気の毒なことに、こうした富の再分配は、政府や中央銀行の力の差によって増幅されざるを得ない。危機に対する財政出動とは、コロナ禍が去った後に戻って来る日々からの一時借り入れのようなものだが、先進国の政府や中央銀行はそれに耐えるだけの力を持っている。新興国にはそれがないからだ。

コロナ禍による感染者数や死亡数でみたダメージは、今のところ先進国で大きく新興国で小さい。また、今回のコロナ禍から生じた経済的ロスを実物ベースでみれば、それは主として先進国における経済活動の急ブレーキによりもたらされたものである。だが、そのロスの相当部分は、交易条件や為替レートの変化を通じて新興国の人々に転嫁されるだけでなく、資産価値という観点からは先進国に「焼け太り」とすら言える効果をもたらしつつある。それが、ヘリマネ的とも評価できる財政出動の効果を押し返し、先進国たちの通貨価値を支えているのだろう。今の私たちの状況はそんなものではないだろうか。

だが、それは、そうした交易条件や為替レートの変化を通じた国際的再分配の効果が一巡した後で、危機対策として行った財政出動と金融緩和のツケが、今度はインフレ圧力として日本を含む先進国たちに戻ってくる可能性を懸念させるものでもある。コロナ以前の先進国を悩ませていたのは人口動態の変化や技術進歩の停滞が生むしぶといデフレ圧力だったが、コロナの後では、コロナ禍に対する財政出動の性格、具体的には将来のリターンに結びつかない財政出動としてのヘリマネ的性格を考えると、デフレ圧力への悩みがインフレ圧力への悩みに取って代わられる可能性は無視できまい。

もちろん、デフレ圧力とインフレ圧力がバランスして、こと物価情勢に関する限り、そこに企まずして微妙な「良き均衡」が生まれ続く可能性もある。とはいえ、そこで求められるのは何が何でもデフレ圧力と戦うというような単純な金融政策ではない。デフレ圧力だけでなくインフレ圧力にも目配りした金融政策が必要になるはずだ。しかし、それはどこまで可能だろうか。それが限界に来たときに何が起こるだろうか。

引き返せなくなった中央銀行

ここで図表4－2におけるFTPLの物価決定式に戻ってほしい。気付いてほしいのは金融政策の物価水準に対する影響力は、市中保有国債Bの現在価値である割引率iの操作によるものだということである。これを言い換えれば、分子に占める市中保有国債Bとベースマネー Mの比率が、金融政策の「切れ味」に影響を与えることを意味するからである。

ところが今、その比率が異次元緩和により大きく動いてしまっている。図表4－5は物価水準決定式の分子に占めるベースマネーMの割合すなわちベースマネー比率の推移をグラフ化したものだが、一見して分かるように黒田総裁登場前の二〇一二年度末までは概ね二〇パーセントをやや下回る水準だったベースマネー比率は、異次元緩和開始と同時にみるみるうちに上昇し、最近の三年間ほどは六〇パーセント近くにまで達してしまっている。これは、物価決定式の分子における市中保有国債Bの比率が約八〇パーセントから四〇パーセントに

図表4-5　物価決定式分子に占めるベースマネーの比率（各年度末）

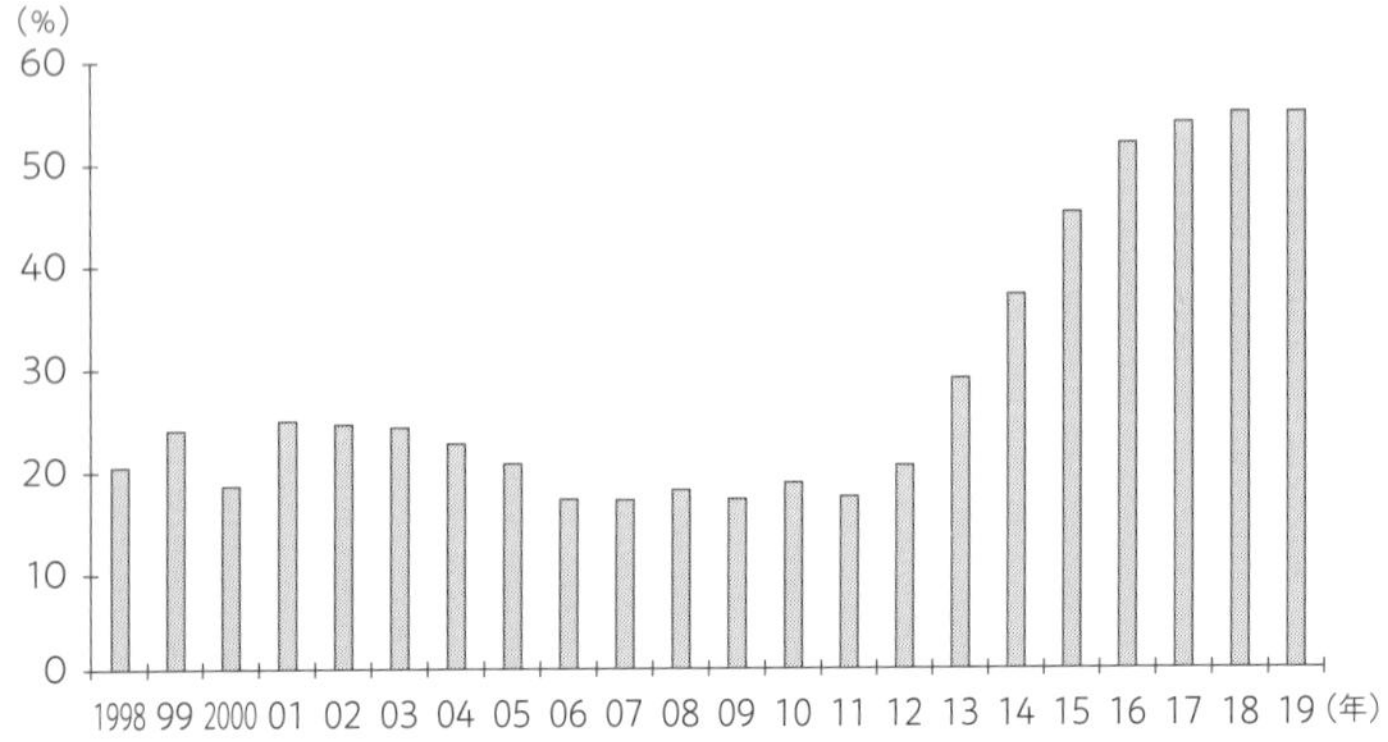

（出所）日本銀行「資金循環統計」などから作成

まで低下していることに通じるものだが、その意味は明らかだろう。式の分母である政府債務償還財源Sの変化から生じる物価水準への衝撃を金融政策で吸収するためには、日銀は以前の二倍近くも大きく割引率iつまり金利を動かさなければならない状況に入り込んでしまっているのだ。

これを言うと、そんなことはどうでもよい、インフレというツケを消すために金利を上げる必要があるのなら上げればよいではないか、五パーセントとか六パーセントなどとケチなことを言わず、一〇パーセントでも二〇パーセントでも金利を引き上げればよい、何しろ金利にはゼロという下限はあっても上限などないはずだ、そんな声も聞こえて来るかもしれない。それは、その通りである。目先のインフレに対するためだったら、ともかく金利を大きく上げればよいのである。しかし、それは別の問題を生む。それが日銀に生じる財務損失問題である。それがどの程度のものか概算してみよう。

現状での日銀の国債保有残高は約五百兆円である。だから、その平均残存期間を仮に七・五年程度だとして、そのとき金利が三パーセントも上昇したとすると、一・〇三の七・五乗は約一・二五なので、その程度の金利上昇ですら、日銀の保有国債時価は現在の保有残高五百兆円を一・二五で割った答つまり四百兆円程度にまで減少し、その結果、約百兆円という政府の一般会計規模にも匹敵する評価損を日銀に生じさせてしまうことになる。これは政府からの損失補てん程度で済ませられる金額ではないし、そもそも、一九九七年までの旧日銀法にあった日銀財務損失補てん条項は、新日銀法では削除されているので、補てんを可能にするためには立法が必要になる。そのような法改正を伴う損失補てんが事態の収拾に間に合う速さで実現できるとは思わない方が良いだろう。

もちろん、こんなことを書くと、それに対しても問題ないと言い張る人はいる。日銀に生じるのは「評価損」である、だから、そんなときは日銀が満期到来まで国債を抱きかかえていれば良いではないかというのである。しかし、それを言う人は、金利が動き始めたとき、今のベースマネーの約五百兆円が動かないままでいると考えているのだろうか。日本のベースマネーの大半は金融機関による日銀への預金であるが、金利が上がってきたときにそれらがじっとしているはずはない。始まるのは、日銀預金よりは少しでも利益が出そうな資産つまり株式や不動産融資への突撃だろう。しかし、マネーが株式や不動産取得のために使われたとしても、それでマネーが消えてなくなるわけではない。マネーは株式や不動産を売った人の手に移るだけだから、このゲームは際限なく繰り返されてしまう。それを放置していれば、日本の貨幣価値がゼロに向かって突進を始めるシナリオ、つまりは手の付けられないインフレのシナリオさえあり得ることになるわけだ。

もちろん、わが賢明なる日銀はそれを放置などするまい。彼らは、金融機関から受け入れる預金に金利を付けて、過剰となったマネーとそれに踊らされた資産投資との悪循環を断ち切ろうとするだろう。だが、それは彼らの国債保有に生じた評価損を実現損に転換することを意味する。実現損の金額は年当たり十兆円をはるかに超える金額になる。それを十年近くも続けなければならないのだ。現在の日銀の利益は一兆円とか二兆円というレベル、純資産は四兆円を少し上回るほどしかない。つまり、話にならないほどの巨額の損失なのだ。そんな状態を何年も続けたら日銀への信認は失われ、この辺りでハイパーインフレへの恐怖が人々の心をよぎり始めるかもしれない。

私は、デフレへの対応としての異次元緩和は毒にも薬にもならないと思っていたし、今でもそう思っている。ＦＴＰＬの物価水準決定式を見れば明らかなとおり、ゼロ金利の壁に突き当たっている中央銀行がマネー供給をいくら増やしても、それは物価水準決定式分子の第一項と第二項の等価入替だから、現在の物価水準に何の影響も与えないはずだからである。しかし、インフレへの対応という点では、その置き土産は最悪である。これほどまでに大量のマネーをばら撒いて抱え込んだ巨額の日銀保有国債は金融政策の自由度を奪い、それだけでなく日本の通貨単位である「円」への信用を失墜させることで、日本を多重債務国の罠に、あるいはハイパーインフレの淵に導きかねない。それこそが悪夢のシナリオなのである。

対策はあるのだろうか。対策はある。異次元緩和後の日銀にとっての財務問題、それを何とかしたいのであれば、危機的状況に入り込む前に中央銀行保有国債を市場金利連動型の変動金利国債に一斉転換してしまえば良いからだ。もう少し色を付ければ、金利の急激な上昇が民間金融機関の経営を崩壊させるのを防ぐために、彼らの保有国債も変動金利国債に転換しておいた方が良いかもしれない。また、これだけでは財政当局にとって何のメリットもないという面もあるから、この際、国債の発行方式を政府自身による市中公募から中央銀行引受発行に切り替えることも考慮され得るとすら私は考えている。

思い切ったことを言うと驚かれ非難されるかもしれないが、中央銀行による国債直接引受が悪とされるのは、それが市場金利と乖離した水準での資金調達を政府に可能とすることに

図表4-6　停止条件付変動金利永久国債の日銀引き受けプランの概要

A）政府は、市場金利連動型の変動利付永久国債を日銀引受により発行する。

B）この国債の利払いは日銀保有期間中は行われない。

C）日銀は、政府と協議することなく、この国債を市場に売却することができる（売却以降は市場金利に連動した利払いが保有者に行われる）。

D）政府は、この国債の日銀保有分について何時でも額面で償還することができる（日銀以外の保有分については市場価格で買い入れ消却できる）。

E）政府は、発行の固定利付国債を、保有者の同意を条件として、当該国債の時価額面とする変動利付永久国債に転換することができる。

このプランについては、2017年3月13日に物価等情報提供サイトを運営する（株）ナウキャストのホームページにて初めて公開。背景になる考え方は『金融政策に未来はあるか』（2018年・岩波新書）で、昭和の高橋財政への評価も含めて説明してある 。

より財政規律を失わせるからである。しかし、中央銀行保有国債にも発行から満期までの市場金利が付いて回ることがはっきりしていれば、中央銀行が国債を引き受けること「それ自体」には問題がなくなるはずだ。変動金利国債を負債として抱えることになる以上、政府あるいは財政当局が野放図に国債を発行し続けることはできないはずだからである。財政への歯止めを新規発行国債の日銀引き受けの可否という形式に求めるのではなく、金融市場の金利形成メカニズムに求めるわけだ。その具体化の方法については、二〇一七年の春ころからあちこちで書いたり話したりしているプランがあるので、それを**図表4－6**として書いておくことにしよう。

ただし、この図で書いたプランを採用したとしても、コロナ禍により生じた統合政府の負担が消えてなくなるものではない。このプランは、中央銀行あるいは通貨に生じるリスクを消し去るものではなく、ただリスクを政府に転嫁するだけのものだからである。リスクそのものは、政府が財政を建て直すことによってしか消し去ることはできない。

それは可能なのだろうか。それが次の章の課題である。

第 5 章

消費税を拡張付加価値税へ

消費税にしか出口がないという現実

巨額の財政出動の後始末、とりわけ将来の税収を生まない財政出動の後始末には新種の税が導入されることが少なくない。二度の大戦を経験した二〇世紀の欧州では、多くの国が富裕税を導入していた。今回のコロナ禍の後始末にも、一部の国においては富裕税のようなフレームワークが議論されるだろう。だが、それは今の世界では大きな流れにはならないだろうと私は思っている。

ちなみに富裕税とは、所得税や法人税のようなフローではなく、ストックとしての資産を課税対象とする資産保有税で、その典型は、個人または世帯が保有する動産不動産と預金株式などの金融資産それに特許などの総資産額から負債額を控除した純資産額を課税対象とするものである。この富裕税、日本では第二次大戦後のシャウプ勧告により連合軍の占領下で短期間導入されていたことがあるだけなのでなじみが薄いが、欧州大陸諸国では長い歴史を持っている。スイスでは、一部の州（カントン）で一三世紀からこの形態の税があったし、プロシア（現ドイツ）では一九世紀初頭、オランダやノルウェーでは同世紀末、オーストリアやルクセンブルクそれに北欧諸国では二〇世紀初頭から富裕税が導入され、一九九〇年の欧州では合計十二国で採用されていた。

ただし、この富裕税、最近では図表5―1で示す通りで分が悪いようだ。欧州諸国で次々に廃止され、南アジアでも採用国がなくなっている。なぜだろうか。

理由は各国で急速に進む富者優遇競争にある。図表5―2は一般に「西側」とされる主要国の個人所得税最高税率の推移を示したものだが、これを見るだけで全世界的な富者優遇競争のすごさが分かるだろう。二〇世紀後期における個人所得税の引き下げは「富者を貧しくしても、貧者は豊かにならない」と唱えて所得税制のフラット化を推進した英国首相サッチャーの登場で始まった。当時のサッチャーの狙いは富者への重課税をやめることで経済活動の活性化を図るということにあったのだと思うが、グローバリズムがもたらした人の国際間移住の自由化は、大きな負担を求めれば国外に出ていってしまう富者の国内繋ぎ止め競争というかたちで国際的に波及してしまったのである。

財力のある個人や企業を国内に呼び込むための税制あるいは企業制度を巡る国家間のせめぎ合いは、ときに「底辺への競争」とも呼ばれるが、グローバリズムで勢いを増した「底辺への競争」は、富裕税などを吹き飛ばしてしまったのだ。

もっとも、こうした中、富裕税的な枠組みの復活を主張する論者もいる。二〇一三年に刊行されるや世界中の話題を集めた大作『21世紀の資本』の著者フランスのトマ・ピケティ

図表5-1　富裕税の始まりと終わり

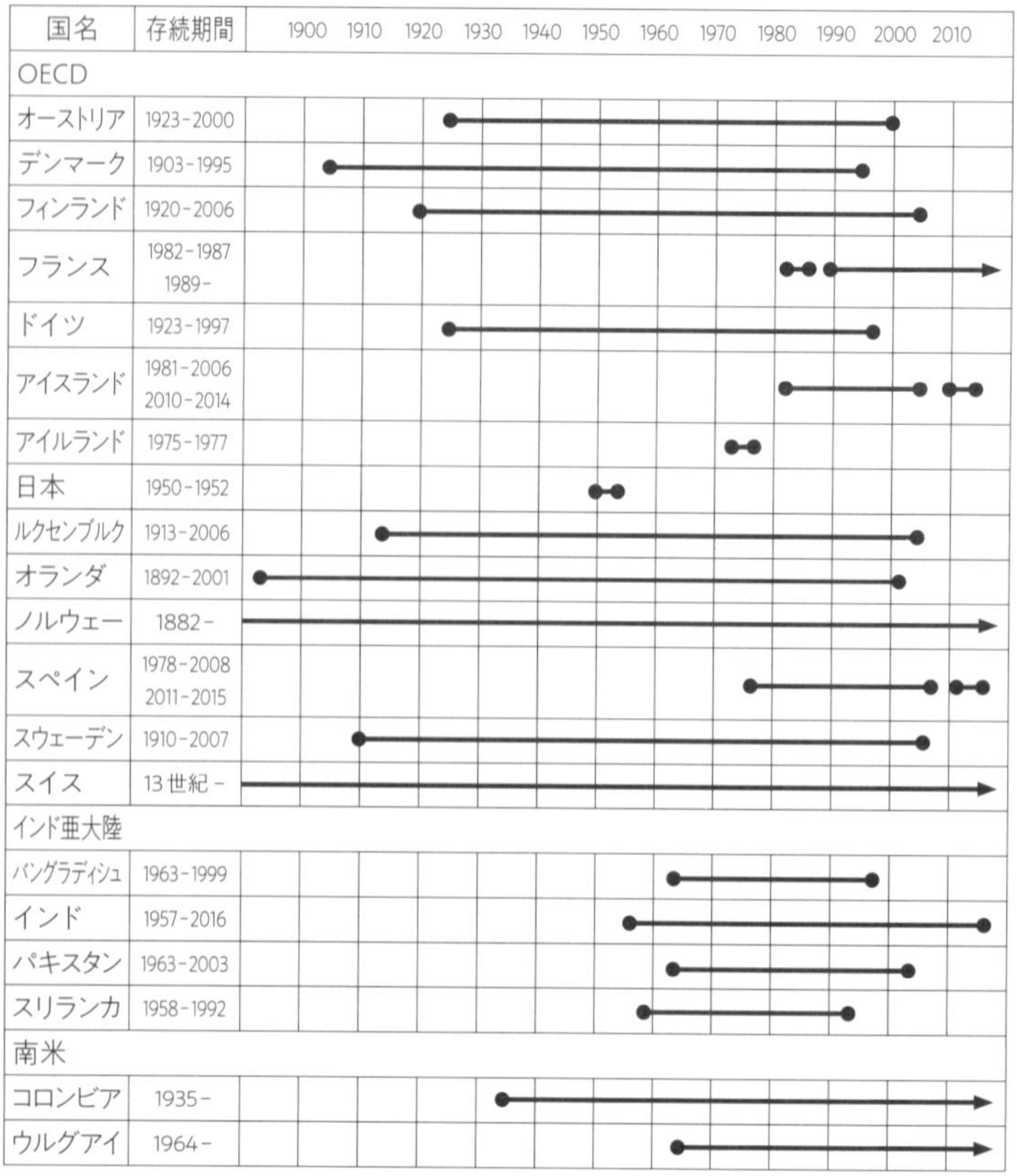

（出所）山口和之『富裕税をめぐる欧州の動向』（2015年・国会図書館レファレンス）より

図表5-2　主要国の所得税最高税率の推移

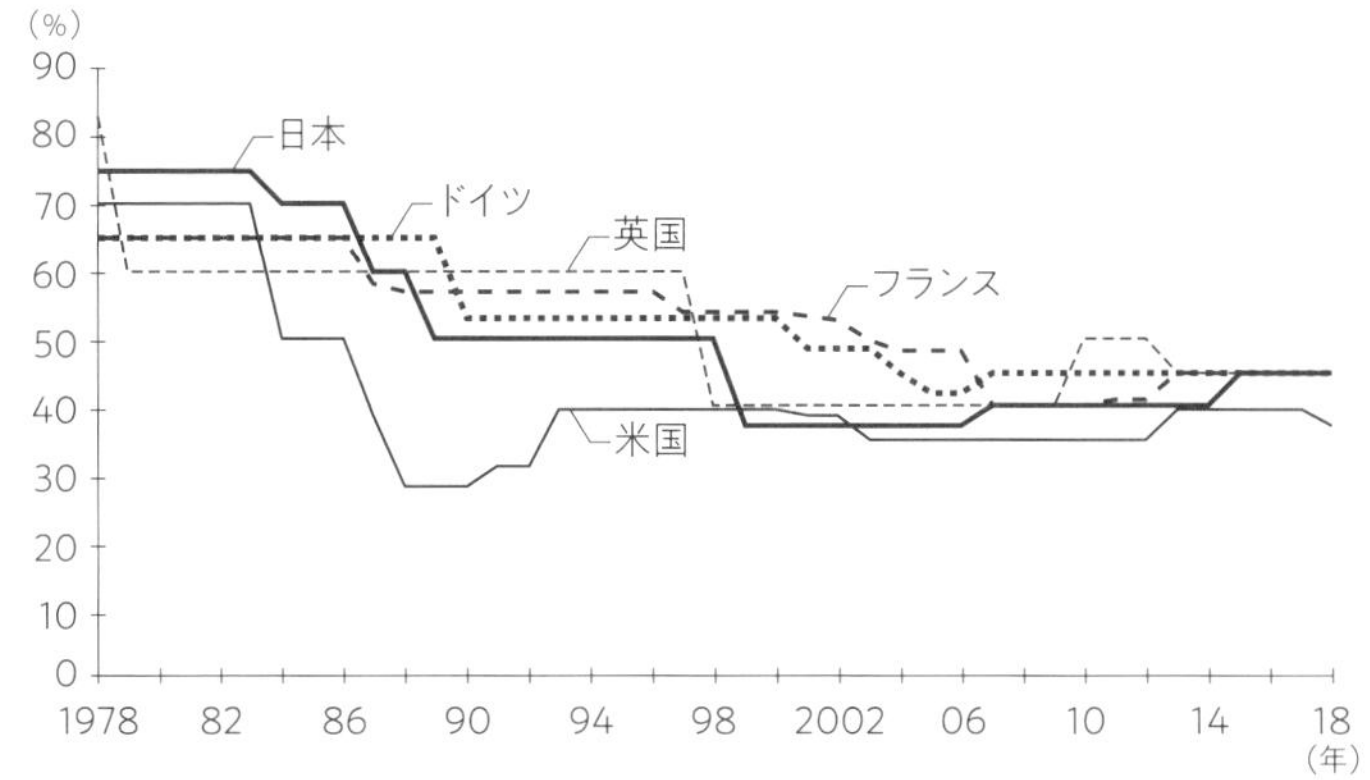

（出所）https://www.mof.go.jp/tax_policy/summary/income/b02.htm から作成

は、世界の多くの国で進行する格差拡大への対応策として、個人が持つ全資産を対象に時価評価を定期的に実施し、それから負債を差し引いた純資本額を課税対象とする「資本税」という仕組みを提案している。ピケティの提案は、純資産額に適用する税率について、一般に大きな富は大きな収益率を生み出すという理由で、単一税率でなく累進税率を適用すべきと主張している点も新しいと言えば新しいのだが、より本質的には富裕税の国際ルール化を求めているところに彼の思いがあるのだろう。彼の問題意識には、有史以来の長い期間にわたって資本収益率（r）が経済成長率（g）を上回っていたのが（彼はそのことを「r＞g」と書いている）、それが二〇世紀に入っていったん逆転すらしていたのに、グローバリズムが高まりを見せるな

図表5−3　資本収益率と成長率の推移（ピケティの「r＞g」）

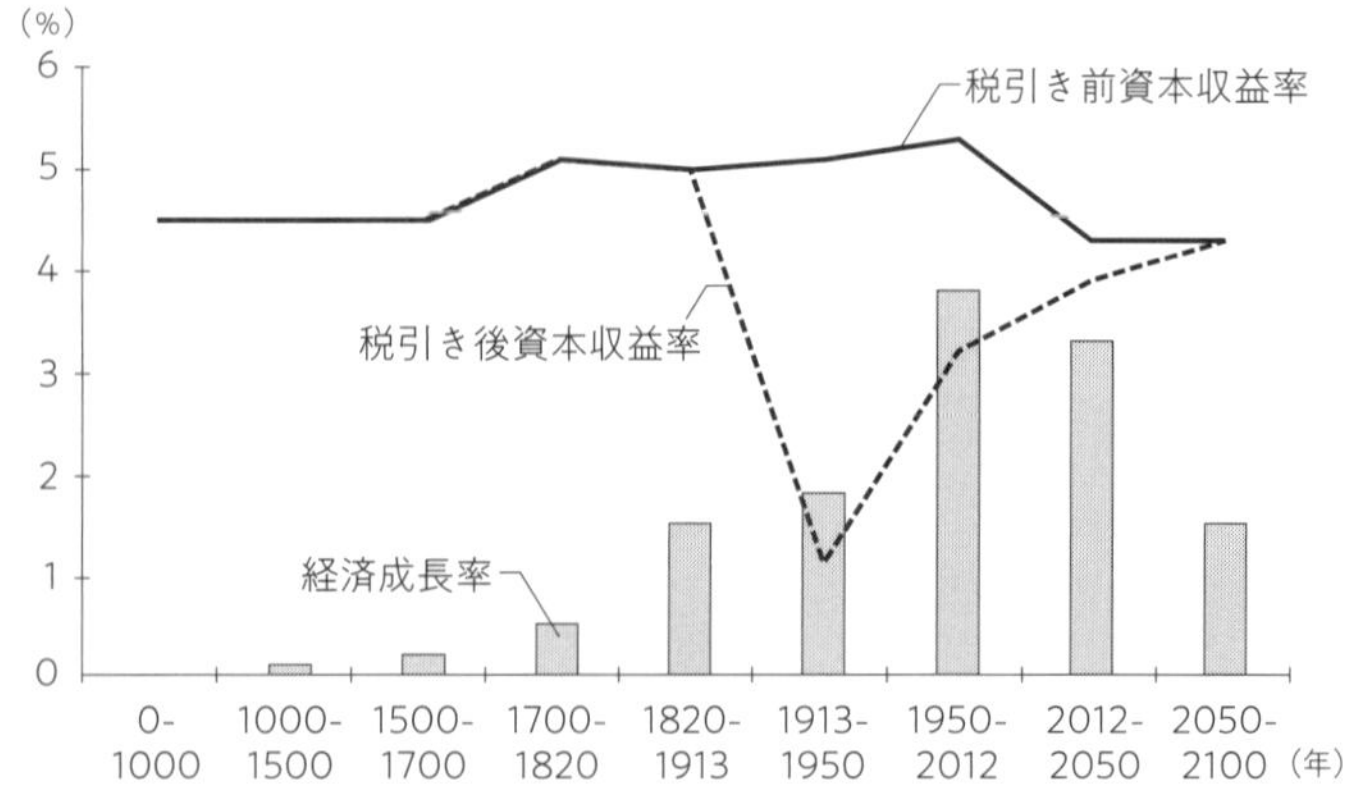

（出所）https://cruel.org/books/capital21c/から作成
ピケティ『21世紀の資本』では、税引き前と税引き後の資本収益率と経済成長率との関係を図10・9と10・10という2枚のグラフにしているが、ここでは見やすさのために1枚のグラフにまとめた。

かで再び拡大し始めた、それが現代の格差問題を生んでいるという歴史認識がありそうだからだ。その彼の歴史認識のエッセンスともいうべき資本収益率（r）と経済成長率（g）との長期推移のグラフを**図表5−3**に掲げておこう。このグラフを見て考えたいのは、富裕税あるいはピケティの資本税のようなものが、コロナ禍に対する財政出動の後始末に使えるのかどうかという点である。どうなのだろうか。

結論から言うと私は懐疑的である。もちろん、コロナ禍がグローバリズムに歯止めをかければ「底辺への競争」にも、多少のブレーキはかかるかもしれない。しかし、それは一過性だろう。今回の

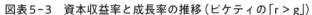

COVID-19というウイルス感染症は、ワクチンや治療薬の開発あるいはウイルス自身の変異などにより、やがてはそれほど恐ろしいものでなくなるだろうからだ。今回のコロナ禍を教訓とすれば、東京国際金融都市構想あるいはカジノ型リゾート開発などへの思い入れには一時的に水を差されるかもしれないが、それで「底辺への競争」に歯止めがかかるとは思えない。その反対に、感染リスクが高く他者にも感染させやすい貧者の国際間移動つまり移民や難民は制限すべきだが、ウイルスを運んで来るリスクが低い富者の受け入れは大歓迎などというムードすら生じかねない。それは所得税制や資産税制においても、むしろ富者優遇の勢いの背中をさらに押す要因になる可能性がある。

コロナ禍に対するための財政出動の後始末として富裕税が復権することはおそらくないだろうし、また、貧富の格差拡大に対する問題意識から出ているピケティの資本課税の提案が受け入れられることもないだろう。所得税だけでなく、たった二十年ほど前には四〇パーセント以上が普通だった法人税率を現在では二〇パーセント前後にまで引き下げるという状態に各国を追い込んでしまった「底辺への競争」が、これで逆転するとは思えないのである（図表5－4参照）。

では、そうした中で財政はどこに出口を見出すことになるだろうか。答は明らかである。個人所得税や法人税の抱える問題そして富裕税や資本課税の非現実性を総括すれば、コロナ

図表5-4　主要国の法人税率の変化

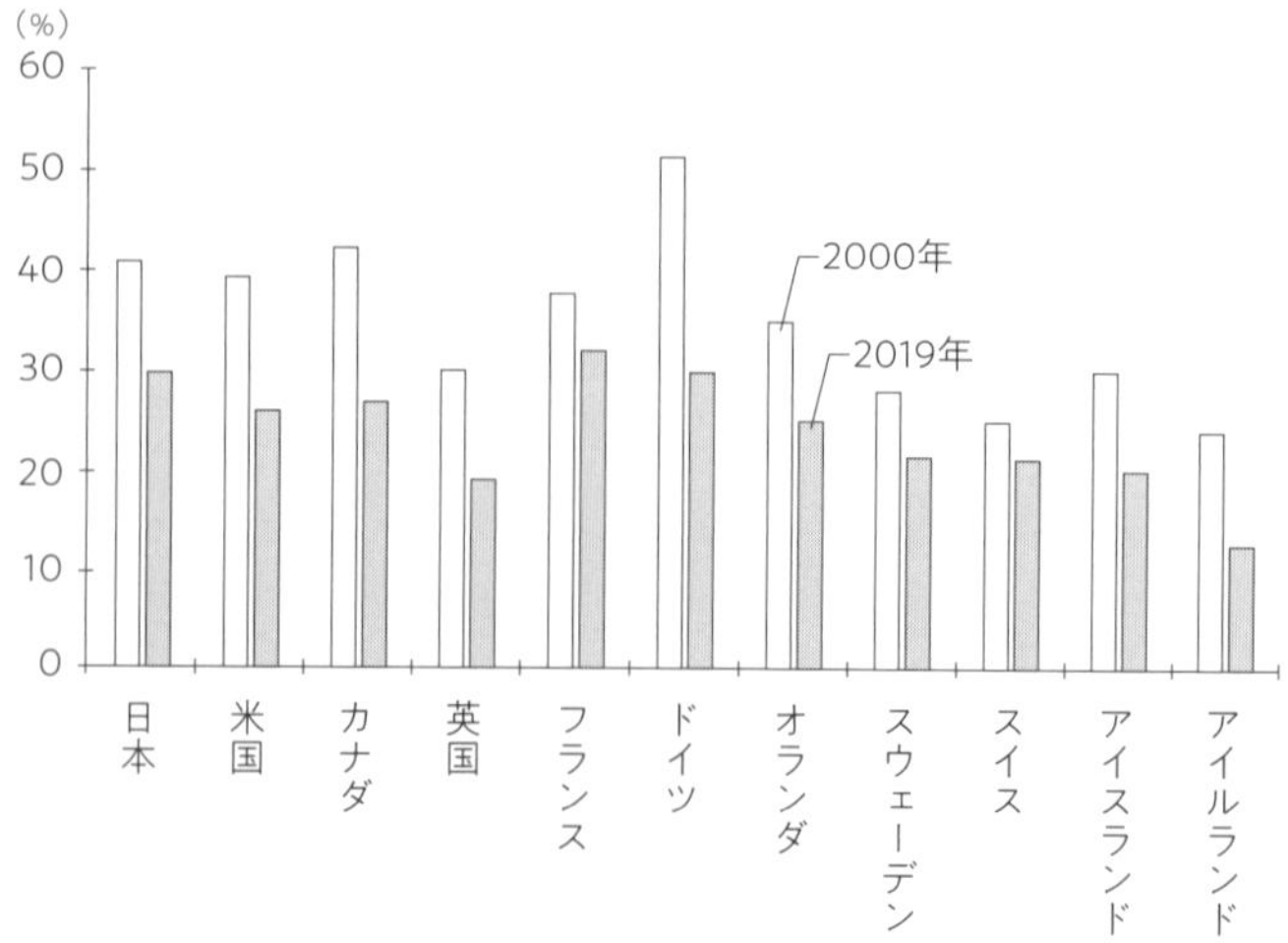

（出所）http://www.oecd.org/から作成

禍で傷ついた財政にとっての出口は消費税の増税しかあり得ないからである。しかし、それは無条件での大幅な消費増税を許容すべきことを意味するものであってはならないし、そんな増税はそもそも無理な話に近いと思う。

図表5-5は二〇一九年一月に公表された内閣府の『日本経済二〇一八―二〇一九』と題した文書（毎年夏に公表される『経済白書』の中間報告版という位置づけらしい）からのコピーだが、これを見ると日本の高齢者世帯の平均消費性向（所得から税金等を引いた可処分所得で消費支出を割った比率）は、すでに九〇パーセント近くに達しており、ここで大幅に消費税を引

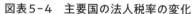

図表5-5　日本の消費性向（2人以上勤労者世帯）

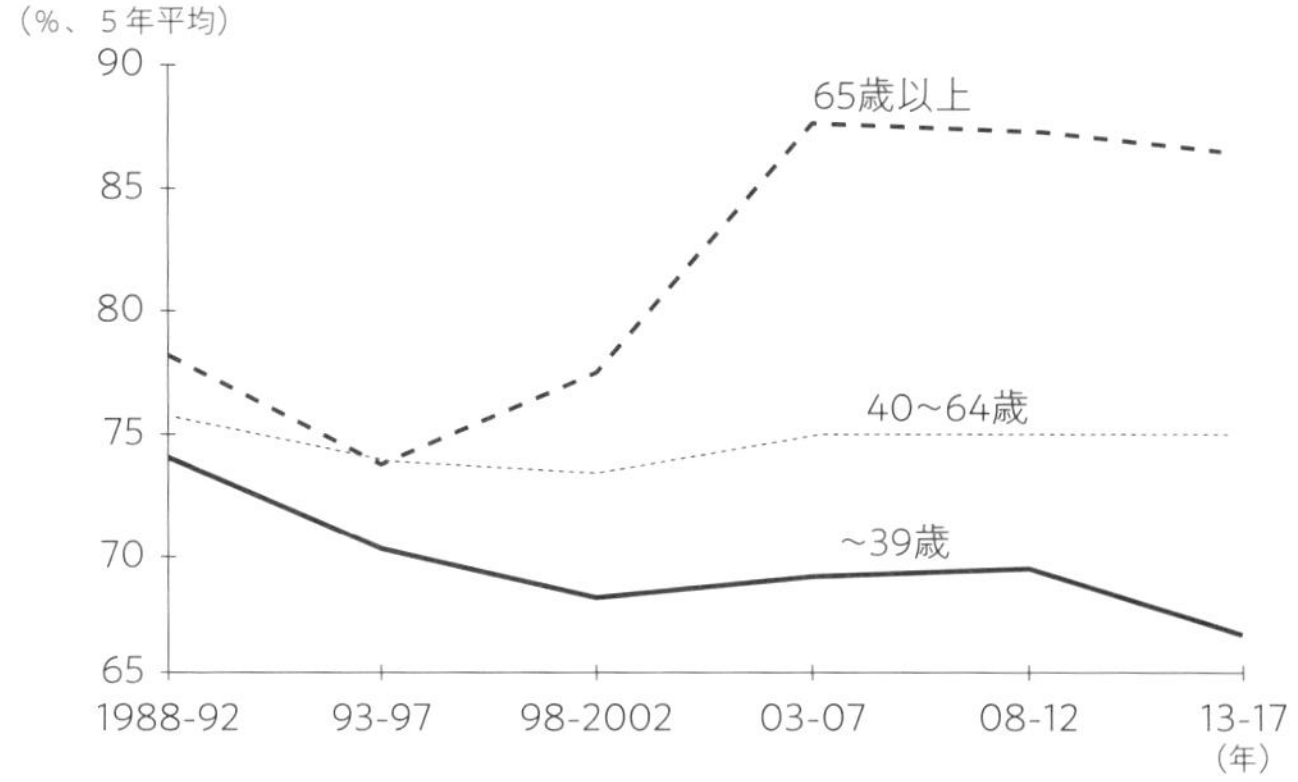

（出所）内閣府『日本経済2018-2019―景気回復の持続性と今後の課題―』

き上げればそれは彼らの生活と老後を徹底的に破壊することになるはずだ。平均消費性向が九〇パーセントに達しているなかで消費税率を、仮に一〇パーセントも引き上げれば消費性向は一〇〇パーセントに迫り、それは高齢者たちを絶望的な貯蓄取り崩し生活に追い込むことになる。また、四十歳から六十四歳と表示されている中間世代や三十九歳以下の若年世代のやや低めの消費性向にも、その背後には老後に備えての貯蓄や住宅ローン負担などがあるはずだから、消費税率の大幅な引き上げなどがあれば、それは彼らの将来に対する計画を一気に真っ暗なものにしかねない。消費税の単純な引き上げは、もはや今の日本には不可能なのである。

消費税とは何なのだろうか

では、消費税の大幅な引き上げもできないなかで、わが日本の財政はひたすら債務累積の道を歩まねばならないのだろうか。私は、そうと決まったものでもないと思っている。理由は、現在の消費税の仕組みを変えて、もっと弾力的な増税や減税が可能な税に生まれ変わらせることは、私たちが本気になれば可能なはずと考えるからである。

どうしてそう考えるかを説明する前に、現在の世界では「付加価値税」という名で普及している税、日本では「消費税」と呼ばれているこの税の来歴と特徴点を整理しておくことにしたい。

現代の日本あるいは世界の税制のあり方について気付いてほしいことがある。それは法人税と消費税（付加価値税）との双対性である。双対性と呼んでみたのは、法人税も消費税も課税のプロセスは異なりながら、どちらも企業活動が作り出す経済的価値の大きさに課税するという本質を持っているからなのだが、もちろん両者に違いはある。法人税は売上から原材料その他の物件費と給料その他の人件費の両方を「経費」として差し引いた残差を課税対象とするのに対し、消費税は物件費のみを「仕入税額控除」という名で差し引くだけで、残りの全部に課税してしまうからだ。そうすると、日本を含め世界の多くの国で起こっている法人税減税と消費税増税（付加価値税増税）のセットは、企業における価値生産活動に労働の提供というかたちで参加している人たちへの増税という効果を持つことになる。

こういうと、個人所得税は減税されているではないか、**図表5－2**が示す通り所得税の最高税率は大きく引き下げられているではないかという疑問も起こりそうである。だが、それは違う。**図表5－6**は日本と米国それにフランスにおけるGDPを分母とした各税の比率を示したものだが、このグラフの背後にある個人所得税収対GDP比率は、一九六六年からの五十年間で、日本では三・七から五・七パーセントに、米国では七・七から一〇・四パーセントへ、フランスでは何と三・五から八・六パーセントと二倍以上にまで上昇している。フランス人ピケティが格差拡大への問題意識を軸に『21世紀の資本』を著したのももっともである。個人所得税は、その最高税率が大きく引き下げられている一方で全体では増税になっているからだ。現代の国家たちは、企業のエグゼクティブや富裕層への負担を減らし、所得税の大半を担う中間層に国家財政を支える負担を押し付けているのである。

付加価値税に話を戻そう。付加価値税が生まれたのは、よく知られている通りで、経済一体化を進めていた第二次大戦後の欧州西側圏諸国である。付加価値税における仕入税額控除という仕組みは、国境を越える商品や原材料の流通に二重課税を避けながら各国の事情に合

図表5-6　日米仏3か国の主要税種別税収のGDP比率

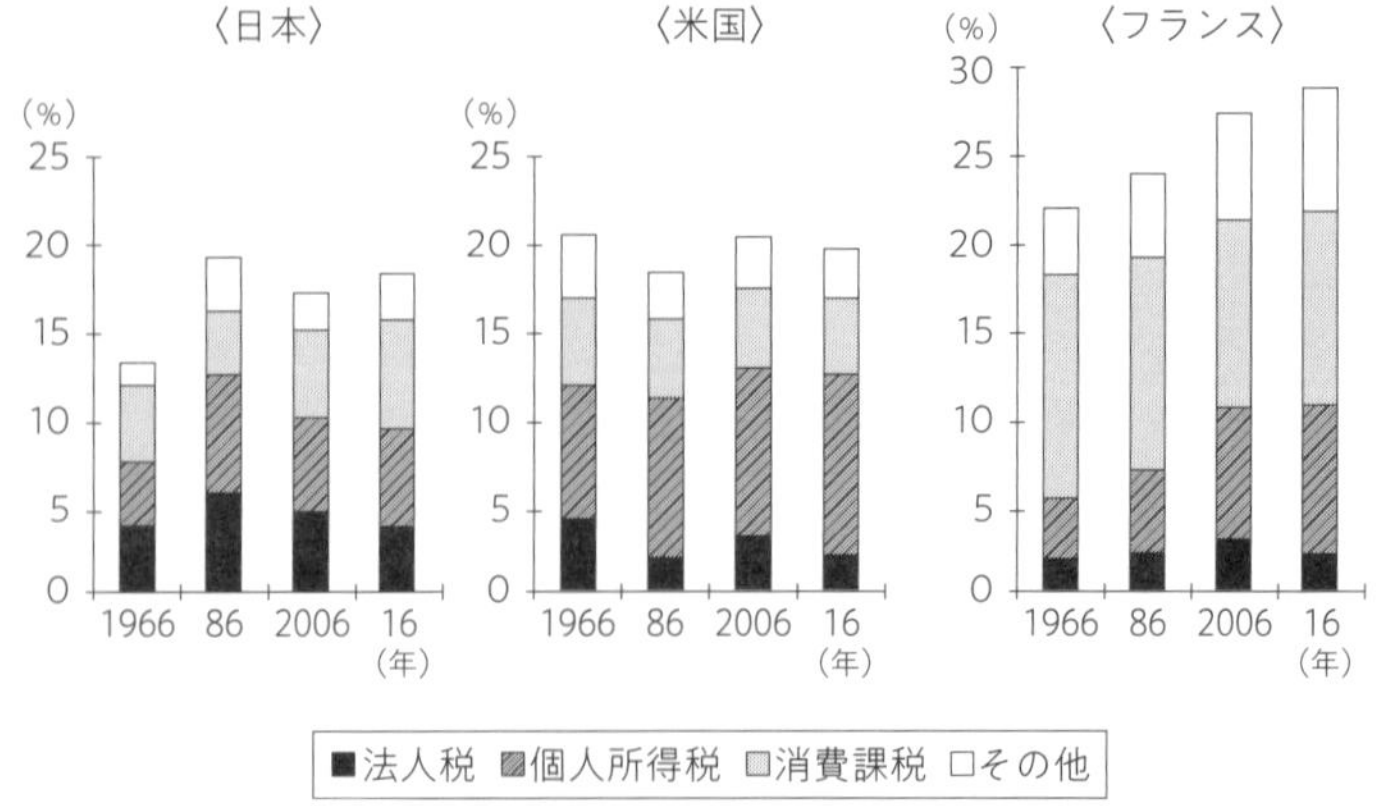

（出所）http://www.oecd.org/から作成

わせて課税を行うのに好適だったからである。だが、付加価値税が成功した理由はそれだけではない、その成功は仕入税額控除が生み出すライバル性とも言うべき特性にもよっていたはずと私は思っている。少し説明しておこう。

税務当局にとってあまり苦労なく捕捉できる課税対象の典型は、企業が従業員に払う給与所得だろう。ところで、なぜ簡単に給与所得は捕捉されてしまうのだろうか。給与所得者である貴方の本音は、節税のためにいくらかでも給料を少ないことにしてもらえないかというものだろうが、残念ながらそれは無理な話である。理由は貴方の給料を払っている企業が協力してくれないからだ。企業にとって貴方への報酬つまり給与支払いは経費である。だから、それを少なく計上することは企業にとって法人税負担を重くすることを意味する。つまり、貴方への報酬を交通費支払いなどの名目でわずかながらも別の経費に振り替えることが可能だというような事情でもなければ、貴方の利益は会社の損失、会社の利益は貴方の損失という関係性、名付けてライバル性とも言える関係性が成立してしまうわけだ。これが、給与所得に対する税捕捉が容易にできてしまう理由である。

そこに気が付けば、欧州で一時は標準税制になりかけた富裕税が廃止されざるを得なくなった理由や、ピケティの国際協調型資本課税がうまくいきそうもないと考えられる理由も、分かってもらえるだろう。これらの資産収益課税型の税制は、グローバリズムが作り出した「底辺への競争」に勝てないばかりでなく、その構造にライバル性を内在させていない点に弱みがあるのだ。大きな金額つまり大きな管理報酬が見込める資産運用の世界では、国際課税制度の違いや信託その他の法形式を利用することで、投資収益を税務当局に把握されにくいかたちで懐にすることが可能なことはもはや常識の感がある。そして、その背後にも、資産管理を委託する顧客と管理を引き受ける金融機関や投資アドバイザーとの間に、給与支払者と給与受取者にあるようなライバル性が存在しないということがある。資産運用の世界では顧客である金持ちと運用を受託する金融プロフェッショナルとの関係は、ライバル関係でなく、要するに持ちつ持たれつの関係なのだ。

さて、消費税あるいは付加価値税である。仕入税額控除という仕組みを持つ付加価値税がライバル性を内在させていることは明らかだろう。たとえば、小売業者は自身の納税額を小さくしようとすれば仕入額を大きくしたくなるわけだが、それは小売業者に商品を出荷する卸業者の利益に反する。付加価値税は、企業の決算処理に依存する法人税や個人の資産負債管理に依存する富裕税や資産税に比べ、課税コストを抑えながらの課税対象の確実な把握が可能という点で、圧倒的に効率が良い税制なのであり、またそこにこそ、付加価値税が、その誕生地である欧州だけでなく広く世界中に普及した理由があると私は思っている。付加価値税は、西欧圏諸国のほか、オーストラリアやニュージーランドそれにカナダなどのオフショア西欧圏とも言える諸国だけでなく、中国や韓国などの東アジア諸国にも採用され、世界の主要国の中で、この税制を採用していないのは、消費者における最終購入段階での「一発課税」方式の売上税を固持している米国ぐらいである。

消費税あるいは付加価値税についての一般論は程々にしよう。私が提案したいのは、法人税や個人所得税のような価値分配に対する課税を廃止あるいは大幅に縮小し、税体系全体の軸を付加価値税の仕組みを拡張し発展させた新税、名付ければ「拡張付加価値税」とも言うべき税にシフトさせることである。狙いは二点ある。第一点は、金融活動つまりファイナンス取引を税体系に取り込むこと、第二点は、そして労働への報酬つまり賃金払いを取り込むことである。具体的に説明しよう。

ファイナンス取引を拡張付加価値税体系に取り込む

ファイナンス取引すなわち金融活動とは何だろうか。それは現在の経済価値を将来の経済価値と交換する営みである。だから、最も単純な交換つまり現在価値と将来価値との単純な等価交換であるところの金融取引、一般に「安全資産金利」と呼ばれる無リスク金利での貸借預貯金や証券売買は拡張付加価値税の課税対象にするべきではない。

ではリスクがある資金貸借取引はどうだろう。単純だが明快な解決はリスクの対価であるリスクプレミアムの受け取りは売上として拡張付加価値税の対象とする一方、リスクの結果として被った損失は仕入税額控除の対象とするというものである。そんなことができるのかと疑うかもしれないが、現在の付加価値税の採用国の中にもその考え方を部分的に取り入れている国がある。オーストラリアとニュージーランドは、損害保険会社の保険料収入に付加価値税を課す一方で、保険金の支払いなどの事業経費を仕入税額控除の対象としているが、これはリスクの授受を価値の連鎖としてとらえるという点で、付加価値税を拡張付加価値税へと発展させた場合に最も簡単に踏襲可能な前例となるだろう。具体的に言えば、拡張付加価値税額や仕入税額控除額を計算するとき、いわゆるクレジットリスクは特段に考慮することをせず、貸出金の焦げ付きなどのかたちで損失が顕現化したときに、その額を「仕入」として控除すればよいと割り切ってしまうわけだ。

ところで、資金貸借取引には、リスク負担だけでは説明できない金利や利回りが観察されることが多い。そして、これこそが金融機関が収益を上げることができる理由であり、また彼らが経済社会の発展に貢献できていることを示す証左でもある。これは、金融契約における金利条件をみれば、そこに経済価値の売上や仕入が起こっていると推定できることを示唆するものでもある。

たとえば、現実の世界においても、創業間もないベンチャー企業が借り入れを行う際、都道府県信用保証協会などの利用によって借入自体は無リスクであるにもかかわらず、安全資産金利より相当程度高い金利を銀行などに払っている例は少なくない。これらは、融資先の発見や調査あるいは維持などの無形の「関係性」を銀行が提供しているからである。それなら、安全資産金利を超える金利での資金の貸出は銀行にとっては理由のいかんにかかわらず「関係性の売上」と整理し、一方、融資を受けたベンチャー企業にとっては、拡張付加価値税額計算において控除可能な「関係性の仕入」だと整理してしまえばよさそうだ。だから、たとえば安全資産金利が三パーセントである状況で七パーセントの金利で百億円の融資が実行されたとすれば、銀行は四億円相当の関係性を「販売」したとみなせるから、これに税率を乗じた金額が銀行の拡張付加価値税の納税義務額になる。一方、借入企業は四億円の関係性の「仕入」を行ったことになるから、やはりこれに税率を乗じた金額が借入企業の仕入税額控除額になる。関係性の提供や仕入などと言うと大変そうだが、実務的には単純な計算に置き換えることができるわけだ。

好都合なことに、同じ考え方は銀行の預金取引などにも応用できる。銀行の預金取引における金利は、一般に安全資産金利よりも低い。これは、資金決済その他の預金サービスという「関係性」を銀行が私たち預金者に「販売」していることになる。関係性の対価が安全資産金利から預金金利を引いた金利差である。だから、預金取引の金額に金利差をかけた金額が銀行の預金サービスの販売額になり、これに税率を乗じた金額が銀行の拡張付加価値税の納税義務額であり、一方、銀行の取引相手方である私たち預金者が関係性の「仕入」として仕入税額控除を税務署に求めることができる金額になる。一般の個人預金者にとってこれは大きな金額ではないだろうが、預金者が大企業であれば控除額は相当な金額になりそうだ。やや意外な気がするかもしれないが、金融機関を通じるファイナンス取引に付加価値税的な考え方を取り入れることは難しくないのである。

株式への投資収益を取り込むとどうなるか

ところで、このぐらいの話ならファイナンス取引を拡張付加価値税に取り込むことの意義は、まだ大きなものではない。資金貸借取引を拡張付加価値税に取り込むのならば、いっそのこと、株式その他の形態で行われるあらゆる投資をも拡張付加価値税の対象に収めて現在の法人税を吸収してしまうことも可能なはずだからだ。数値例を作って説明しておきたい。

細かい状況を考え始めると面倒なので、安全資産金利が五パーセントという状況で、資本金が一兆円で、収入が千八百億円、そして支出が一千億円という企業が存在したと想像してみよう。ただし、話を簡単にするために、支出の全部に拡張付加価値税が課されていて、したがって仕入税額控除が可能になっていると仮定して考えることにしよう（現在の付加価値税制では人件費は仕入税額控除ができないのだが、これをどう変えるかは後で説明する）。そうすると、この企業の収支の出入りである「償却前営業利益」あるいは「キャッシュフロー」は千八百億円マイナス一千億円で八百億円だから資本収益率は八パーセントである。ここで法人税と付加価値税が廃止されて代わりに拡張付加価値税が導入されていたとすれば、キャッシュフローの八百億円の全額が付加価値額として拡張付加価値税の対象になりそうな気がするかもしれないが、それは誤りである。

もしこの企業が株主からの資本金拠出によらず銀行からの融資により資金調達を行っていたとすれば安全資産金利を超える利回り分にのみファイナンス取引に関する拡張付加価値税が課されるのだから、資本金に対しても同じように考えれば、資本収益率の八パーセントから安全資産金利五パーセントを差し引いた利回り差の三パーセントを資本金額一兆円に乗じた三百億円が、銀行ならぬ株主からの「関係性の仕入」として税額控除の対象になるはずだ。それなら、この企業は収入千八百億円から支出一千億円を控除できるほか、株主からの関係性の仕入額三百億円をも仕入税額控除できるので、拡張付加価値税の課税対象額は五百億円となり、これに税率を乗じた金額が株式関係を取り込んだときの拡張付加価値税の納税義務額になる。

ただし、ここだけを見て、株式関係取引に関する仕入税額控除分だけ拡張付加価値税の全体税収が少なくなると思ってはいけない。仕入税額控除を会社が受けられるということは、株主に同額の拡張付加価値税の納税義務が発生することを意味するからである。

いろいろと数字を置き換えてみれば分かる話だが、この仕組みの下では、企業が理論値として負担する税額は、資本金額に安全資産金利を乗じ、さらに税率を乗じた金額で固定されて、企業の利益状況が変わっても常に一定になり、その代わりに安全資産金利を超える資本収益率が実現していれば超過分に税率を乗じた金額が株式関係取引に関する納税義務額として株主に帰属することになる。また、資本収益率が安全資産金利を下回っていれば未達分に安全資産金利と税率を乗じた金額が株式関係取引に関する控除額として株主に帰属することになる（この帰属関係は式で表現した方が分かりやすそうなので、それを図表5－7に書いておいた）。

補記しておくと、ここで「企業が理論値として負担する税額は、資本金額に安全資産金利を乗じ、さらに税率を乗じた金額で固定されて、企業の利益状況が変わっても常に一定」というのは、企業の拡張付加価値税額が状況にかかわらず一定という意味ではない。言っているのは、たとえば安全資産金利がゼロだとすると、「収入から支出を控除した残差つまりキャッシュフローに拡張付加価値税率を乗じた金額相当の税負担が株主に転嫁され、企業自体の税負担は中立化されてゼロになる」ということだけである。だから、もし今のゼロ金利政策つまり安全資産金利をゼロに固定させる政策が転換され、安全資産金利が二パーセントか三パーセントというように上がってくれば、それに資本金額を乗じて算出した金額が拡張付加価値税として企業が負担すべき納税額になる。ただ、その分は株主における税控除額となるので、企業と株主とを通算してみたときには、安全資産金利の上下は税負担に対して中立的、言い換えれば、金融政策の影響を受けないということになるわけだ。金融政策の影響

図表5-7　拡張付加価値税負担における企業と株主

安全資産金利をr、払込資本金額をK、キャッシュフローをPとし、単純化のため借入や資金運用はゼロとすると、企業の資本収益率はP／K＝kとなる。

1　企業の収益率が安全資産金利を上回る場合は、企業に株主が関係性を提供していることになるので、提供額（k－r）Kを企業は仕入税額控除でき、課税対象額はP／K＝kによりP－（k－r）K＝rKとなる。また、株主は金額（k－r）Kに相当する関係性を企業に提供していることになるので、この額が売上として課税対象になる。

2　企業の収益率が安全資産金利に及ばない場合は、株主に企業が関係性を提供していることになるので、提供額（r－k）Kが売り上げに加算され、課税対象額はP／K＝kによりP＋（r－k）K＝rKとなる。また、株主は金額（r－k）Kに相当する関係性を企業から購入していることになるので、この額を仕入として税額控除できることになる。

を受けるのは、企業と株主の拡張付加価値税負担の分担関係だけに過ぎない。これは気付いてもらえば当たり前の話なのだが、誤解のないように書き添えておくことにする。

さて、こうすると何が得られるだろうか。すぐ気が付くのは、拡張付加価値税率の引き上げは、それに比例的な税収増をもたらしてくれることである。**図表5－7**でいえば、預貯金や借入金から生じる金利収支に関する税負担の出入りを無視できるような企業においては、企業自体と株主とを通算した拡張付加価値税負担は、kとKの積であるキャッシュフローに税率を乗じた金額になる。つまり、企業と株主を通算した拡張付加価値税収はキャッシュフローの大小に比例し、税率を五割増しにすれば税収も五割増しに、税率を二倍にすれば税収も二倍になることを意味する。これは、保有株式の値上がりなどで実質的には大きな利益を得ていながら、その利益は未実現であるというような理由で課税を免れることの多いと言われていた富裕層に対し、国家財政の維持についての応分の負担を求める公正な方法論になるだろうし、おそらくはピケティの保有資産時価を基準にした資本課税論よりは納得が得やすいだろう。

ここまで説明するとお気づきの読者もいるのではないかと思うが、こうして拡張した付加価値税は、すでに法人税に極めて近い性質のものになっている。両者の基本的な違いは、法人税が企業における決算手続きに依存して課税するのに対して、拡張付加価値税はキャッシュフローという事実関係に依存して課税するので、減価償却や企業合併などの影響を受けず、したがって企業活動に対する政策的配慮を取り込みにくい代わりに、いわゆる「節税」を狙った企業行動を誘発しにくいことだが、これをどう考えるかは論者のスタンス次第だろう。私は、世界を代表するグローバル企業の多くが法人税を払っていなかったり、利益状況から見て極めて少額の法人税しか払っていなかったりするという現在の状況を考えると、拡張付加価値税を株式関係取引に拡張して、法人税を廃止あるいは吸収してしまった方が良いと思うのだが、今は、問題提起を行うのにとどめておきたい。

もちろん、拡張付加価値税に法人税を吸収するのであれば、相当の制度整備は必要だろう。とりわけ、現在の法人税では課税対象の売上である「輸出」について、現在の消費税制あるいは付加価値税制における「課税対象は国内売上だ」という原則をそのまま踏襲して拡張付加価値税非課税とした上で何らかの穴埋め的な新税を課すのか、それとも輸出といえども「付加価値は国内で生じている」ことに注目して拡張付加価値税を課すかという点は、外国税制との関係もあるから念を入れた論議は必要だろう。それ以外の論点、具体的には株式関係取引に軽減税率あるいは加重税率を適用するかとか（株式関係取引に関する付加価値税率を法人税と等しくすれば、現状からの実質的な変化は課税ベースが決算利益になるかキャッシュフローになるかだけになる）、納税の実務をどうするか（株主の負担する納税義務について企業に株主配当から源泉徴収する義務を負わせてしまえば、これも現在の法人税制との実効的な違いはほとんどなくなる）、などについては大きな方向感が得られてから考えれば十分だろう。

私は増税論者ではないが、今回のようなコロナ禍に対するためには消費税を拡張し補強して、「公平かつ迅速な税率調整が可能な拡張付加価値税へと「進化」させるほかはないと考えている。しかし、もし消費税を拡張し補強するなら、もう一つ、ぜひとも実施すべき税体系の重要変更がある。それは、売買契約ではなく雇用契約に基づく企業への労働提供、つまり勤労者や労働者への報酬払いを本格的な多段階納税体系に取り込むことである。

労働とは何だろうか

労働とは何だろうか。それは人が持つ「時間」を生産活動に投入し経済価値にする行為である。その限りでは、企業と労働者の営みとは、実は似たような面があると言える。生産設備や経営体制という有機的結合体を株式会社という名で用意し、そこに原材料と労働とをインプットして得られた製品を他者に提供し売上という名の経済価値を得るのが資本の営みであるとするなら、身体と頭という文字通りの有機体に衣食住や知識をインプットして得られた労働を他者に提供し給与という名の経済価値を得るのが労働者の営みであると整理してもよい。そうした、資本の営みに課税するのが法人税および利子配当課税であり、労働という営みに課税するのが給与所得課税なのだ。

ところで、ここで最初の問題意識に戻りたい。**図表5－5**のような状況で消費税の大幅な引き上げは不可能だろうと書いたのは、付加価値税や消費税のような多段階納税システムにおける仕入税額控除の仕組みは、税制上で企業と分類される経済主体に対しては価値創造の連鎖の輪としてそれを取り込んでいるが、個人を取り込んではいないからである。断っておくと、これは付加価値という考え方の背後にある国民所得統計の欠陥ではない。国民所得統計が付加価値額産出において雇用契約を売買契約と区別するのは、労働への所得分配を雇用者所得として仕分けしたいことと表裏であり、それ以上でも以下でもない。だが、それをそのまま税制に持ち込んでしまうと困った問題を生じてしまう。それこそが、日本のような状況では消費税率を引き上げるべきでないと書いたことの理由そのものである。改めて説明しよう。

消費税は、対象を企業という場で行われた価値創造に着目する税制だが、それが多段階にわたる商品や原材料流通で二重三重の課税になるのを防止するために、仕入税額控除という装置が備えられている。この仕入税額控除が個々の企業が負担した税を後段階で受け止めることで二重課税を防いでいるのだが、そうした税負担後送りの連鎖の中に付加価値税制にカバーされない経済主体が含まれていると、その経済主体では前段階からの税負担を引き受けざるを得ない一方で、それを後段階に回すことができないという問題が発生してしまう。多段階課税の税累積の鎖としてのつながりを途切れさせる「輪の欠損」があると、経済価値創出連鎖の輪の一つ一つに価値創出額という輪の大きさに比例して税を負担してもらうという付加価値税の「良さ」が、そこで機能不全を起こしてしまうわけだ。

ちなみに、この「輪の欠損」の問題は、これまでの付加価値税に関する議論の中では、税制に関する研究者の間では認識され議論されてきている。ただ、そうした議論は基本的に現行の消費税制度という枠の中で行われていたので、銀行や保険などの消費税非課税産業に特有の問題として議論されていた傾向がある。たとえば、多くの代理店を抱える損害保険会社において消費税の対象になる代理店手数料を保険契約者に転嫁できないということなどが典型的な問題だったわけだ。そして、こうした業界に限った問題であれば保険料率を算定するときに「手心」を加えればよいというような実務的解決も可能だったのだろう。だが、同じ問題が、家計において無視できないほどの大きさになると、それを「手心」レベルで回避すれば済むなどと割り切ってはいられなくなる。

家計は、生計費の大半を消費税対象業者から衣食住その他に充てる「商品」を購入することで費やし、これまた消費税対象業者である企業に労働という名の彼らの「商品」を売り渡すことで維持されている経済主体である。ところが、衣食住その他に充てる「商品」は売買契約によって購入されるので消費税体系の中にありながら、彼らが作り出す「商品」である労働は、それが売買契約によるのではなく雇用契約により売り渡されるという理由で、消費税体系の外に置かれている。これでは、多段階納税の鎖の輪の切れ目である勤労者家計に税の二重負担が生じるのも当然だろう。

誤解がないように書き添えておくと、このこと自体は、勤労者家計が税の二重負担により過大な負担を負っているという結論に結びつくものではない。彼らが多段階納税の後段階である勤務先企業に税負担を移転することができなくても、その分は給与所得控除額などにより調整することは可能だからである。日本の二〇一九年分の所得税における給与所得控除は「給与所得一千万円超で一律二百二十万円」だが、これを勤労者が働く自分を維持するために必要な費用の一部または全部を所得税から控除しているのだと考えることにすれば、何となく納得できる「大岡裁き」的な解決という面もあったと言える。

しかし、消費税が引き上げられるときに並行的に給与所得控除が引き上げられることなく、むしろ引き下げられていったりすると問題は重大になる。そこに今の日本の問題があるのだ。実際、日本の個人所得税計算における給与所得控除は、二〇二〇年からは「給与所得八百五十万円超で一律百九十五万円」にまで引き下げられるが、その一方で消費税を引き上げるというのはおかしな話である。これでは「大岡裁き」の真逆の「悪代官裁き」で、日本の税制は勤労者家計に対してどんどん酷になっていることになる。消費税を増税するのなら勤労者家計に生じる税二重負担を中立化するためには、控除は引き上げられるべきであり、それは今回のコロナ禍に対応するための財政出動の後始末を消費増税で考えようとするときでも例外であってはならないはずだ。

とはいえ、それを改めろと言うのは簡単でも、政治の場で決着を求めるのは困難だろう。それを求めて議論を重ねて行ったら、緊急を要する財政出動についての議論全体を果てしない甲論乙駁の迷路に誘い込むことになりかねまい。どうしたらよいのだろうか。最後に、このクイズに答を出すことを試みたい。

賃金課税も所得税から拡張付加価値税の世界へ

クイズを解くヒントは、付加価値などという経済学用語に引きずられずに、基本に戻って素直に考えることである。勤労者あるいは労働者もまた経済社会全体を通じる価値創造連鎖の輪の一つであることを事実として受け止め、今までの付加価値税では制度の対象外だった人的なインプットへの支払いつまり賃金支払いを、企業における仕入税額控除の対象とする代わりに、インプットの提供者つまり勤労者あるいは労働者に対し、彼らが得る報酬の受け取りを売上とし、さらに衣食住のような生活の営みにかかる生計費を税額控除の対象として、残差に多段階課税上の納税義務を課すことにすればよいのだ。

断っておくと、この税に付すべき名は、もちろん「消費税」ではないし、経済学用語に引きずられた「付加価値税」でもない。企業の従業員として働く人を自己運動する有機体としてとらえ、その自己運動に投ぜられた経済価値である生計費と、その自己運動によって生み出された経済価値である賃金との差額に注目し、それを課税対象とすることで消費における多段階納税の体系に組み込もうという新税だからである。

こうした新税を作れば、企業の従業員は彼らが受け取る給与に対して新税が課される一方で、生計費に課せられた消費税額を税額控除できることになる。これは、要するに現在の消費税における仕入税額控除とパラレルな仕組みなのだが、生計費を「仕入」というのも変なので、この際、この控除のことを「勤労世帯必要生計費控除」とでも呼んでおくことにしよう。まあ、名前は適当に考えてもらえばよい。

このように説明すると大変そうだが、新税の本質は現在の消費税あるいは付加価値税と変わりないという面もある。それなら、この新税を、ファイナンス取引に対象を拡大した付加価値税体系に吸収し、全体を「拡張付加価値税」という名に改めて一本化することにし、あわせて現行の個人所得税は資産売却などの臨時的な収入に対するものを除き廃止するか、あるいは基礎控除を数千万円にまで引き上げてしまったらどうだろう。要するに、個人所得税は、高額の役務報酬を受け取るエグゼクティブや不動産処分所得などに課されるものを除き、新税に吸収してしまうのである。ことのついでに、給与支払いに関する拡張付加価値税の徴収も、今の給与所得課税がそうであるように従業員を雇用した企業を源泉徴収義務者にし、さらに企業において何らかの機械的な計算基準での勤労世帯必要生計費控除も行うことにしてしまえば、企業と被雇用者の双方にとっての納税手順は現在の給与所得におけるもののと大差なくなる。この新税、理論的には消費税や付加価値税の延長上にあるが、その実務は現在の給与所得税制とほとんど変わりないものにできるはずなのである。

最後に、少しばかり試算のようなものを行っておこう。この試算での大事な鍵は必要生計費を基準とする勤労世帯必要生計費控除の金額の置き方だが、その金額を被雇用者以外の個人事業主をも含めて有業者およびその扶養家族の一人ひとりについて百万円と仮定してみたい。ちなみに、これを百万円とする根拠については『国家・企業・通貨』の第三章におけるベーシックインカムについての議論を参照してほしいが、まあ直感的にも妥当な金額ではないだろうか。そうすると勤労世帯必要生計費控除の対象となる人の数は、総人口から年金生活者家計が除かれて日本全体で約一億人程度とみてよさそうだから、百万円かける一億人の百兆円が勤労世帯必要生計費控除の総額になる。そうすると、この拡張付加価値税の課税ベースは、日本国内で発生している全部の付加価値の合計額であるGDP約五百四十兆円から財貨の輸出八十兆円と勤労世帯必要生計費控除合計の百兆円とを控除した三百六十兆円がその概算的な大きさになるはずで、これに拡張付加価値税率を乗じたものが税収になるはずである。するとどうだろう。税率を一五パーセントに設定するだけで、日本の歳入に占める総税収六十四兆円に近い五十四兆円という金額を拡張付加価値税収として得ることができてしまう計算になる。ちなみに、税率一五パーセントという数字だけから勤労世帯の税負担が重くなると思わないでほしい。その代わり、多くの勤労世帯や小規模事業世帯にとっては勤労世帯必要生計費控除を受けられるだけでなく、所得税の負担もなくなるのだから、消費税率よりも拡張付加価値税率の方が高くても税負担はむしろ軽くなるはずだからだ。

金額の話は程々にしよう。どのような世帯で負担が軽くなるか重くなるかは、税率と勤労世帯必要生計費控除の数字の置き方に依存する。重要なのは、このような拡張付加価値税を導入しておけば、大規模災害やパンデミックにより広汎な税負担軽減策が必要なときや、国債に頼っての財政出動の後始末で増税に追い込まれたときでも、家計における税の二重負担問題を生じさせることなく、拡張付加価値税率を調整して状況に素早く対応することが可能になることである。また、そうしておくことが、今回のコロナ禍で生じた財政負担が国や通貨への信認を崩壊させ、あるいは、コロナ禍の第二波だけでなく、次にいつ起こるかもしれない新たなパンデミックや超大規模地震あるいはメガ台風などの大規模リスクに対応するための国家財政の基礎を整備することになる、そう私は思っている。

今回のコロナ禍が私たちに示唆してくれているのは、普遍性が高く機動的に税率を動かすことができる課税制度を導入し、コロナ禍以外にもさまざまに考えられる財政有事に備えることの重要性なのである。

第 6 章

デジタルは夢か悪夢か

これを機にマイナンバー？

ウイルス感染症の恐怖がピークアウトすると、この感染症の経験を無駄にすまい、これを機にデジタルを、という声が高まってきたようだ。だが、この際、今回の経験を活かしてマイナンバー制度を行政の隅々にまでなどという議論が霞が関にあると聞くと、議論をする人は何を経験として活かしているのかと疑問を持ってしまう。

マイナンバー制度の本質は、国民一人ひとりに単一のＩＤを付すことで、多数の役所がさまざまな状況に応じて提供している行政サービスを効率化しようというものである。そうした番号管理による行政効率化に対しては、第三章でも触れた政府のビッグブラザー化への懸念からの反論や反発があることは承知しているが、その話にここで入りたいとは思わない。ＡＩを使った顔認識やビッグデータ解析などの情報技術は、マイナンバーなどという素朴な情報管理手法の限界をはるかに超えて私たちの私的領域に入り込みつつあるし、それを国民や市民の一人ひとりの抵抗で阻止することは不可能になりつつある。そんな状況では、マイナンバーというＩＤのあり方そのものの是非を云々することの意味の大半は失われていると考えるからだ。

今回のコロナ禍に関連して私が注意喚起したいのは、マイナンバーのような単一の基盤的データにあらゆる公的機能を紐付ける技術的必然性は失われているし、大規模災害などのことを考えると、そうしない方が安全なのではないかということである。

マイナンバーはデジタルデータだからコンピュータで管理される。そのコンピュータを設置してあるセンターを巨大地震やメガ台風から守るためには、建屋を堅牢にしてシステムを二重化すればよい。それはその通りである。だが、そのコンピュータセンターを間違いなく運用するためには「人」が必要であり、その「人」はパンデミックと言われる大規模感染症のリスクから自由ではいられないのだ。そして、これまでの数々のコンピュータ障害事例から私たちが学ぶことがあるとすれば一極集中型システムの脆弱さである。そこへの備えがないままでマイナンバー制度を中央あるいは地方が行う行政サービスの隅々にまで行き渡らせれば、パンデミックがマイナンバーを維持管理するためのセンターに忍び込んだときに日本中の行政サービスを凍り付かせてしまうことにもつながる。今回のコロナ禍から学んで政府がやるべきことは、一極集中型のシステムを拡大普及させようとすることではなく、まず行政情報のネットワークの内部に全体の動きを止めてしまうような脆弱なノードつまり情報の集積点や中継点が隠れていないか、それを点検することではないだろうか。

一般論であるが、不意の攻撃や災害に対しては、中央集中型ネットワークよりも分散型ネットワークの方が強い。もともとミサイル攻撃に強い情報ネットワークを作ろうという要請から生まれた分散型ネットワークであるインターネットのしぶとさは東日本大震災などでも実証済みだが、政府がそれに学べば、行政情報サービスについても、どうしたら一部に停止が生じても残りが補いあって動き続ける「打たれ強さ」を得ることができるかを考えることが肝要だろう。公的な情報サービスでは、中央地方がゆるやかに連携する分散管理による「打たれ強さ」の方が望ましい側面が少なくないはずだからである。

ただし、これまで、情報を一元管理ではなく分散管理でと考えるとき、いつも立ちふさがっていたのは「情報の最新性確保」に関する問題である。

情報の最新性確保とは、たとえば貴方が結婚していて子供に恵まれたとき、子供が生まれたという単一の情報を、いかに迅速に偏りなく扶養家族手当とか税控除とか保育園学校などの入園入学手続きなどに反映させられるかというような話だが、貴方に関する情報が中央や地方の各機関にばらばらに管理されていると、情報の最新性確保のための負担が情報主体である貴方にかぶさってしまう。子供が生まれたときの貴方は、住民票を取りに行ったり、戸籍謄本を取り寄せたり、納税証明書を請求したりと走り回らなければならなくなるわけだ。マイナンバー制度は、その負担から私たちを救うための慈悲深いプロジェクトという面もあることになるのだろう。

だが、そうした文脈での情報の最新性確保にとって、センターによる情報の一元管理は必要な条件なのだろうか。いくら努力しても政府のビッグブラザー化への疑惑を完全には拭いきれず、さらにはパンデミックや自然災害に対し脆弱になりやすいセンター管理ではなく、あらぬ疑惑を招くことも少なく外部からの衝撃にも強い分散システムで同じことを実現できないのだろうか。

その実現は容易になっていると思う。なぜなら、情報を分散管理しながら最新性を確保する方法論は、この数年の間に大きく進化しているからだ。進化をもたらしたのはブロックチェーンと仮想通貨の技術である。一時の仮想通貨投機ブームは去ったようだが、ブロックチェーンについては、その改変困難性という謳い文句に惹かれてか、関心を継続している向きも多いようだ。しかし、改変困難という言葉だけにとらわれていると、何がブロックチェーンの良さなのか分かり難くなる。文書改変を困難にする技術くらいなら掃いて捨てるほどあるからだ。でも、そこに仮想通貨が提供する情報の最新性確保技術を持ち込んだら新しい可能性が見えてくるはずだ。

仮想通貨技術が示してくれたのは、公開されている「記録」を動かす権利を持っているのが誰かを、ブロックチェーンの仕組みにより証明する方法があるということである。それなら、証明書の原本はデジタル化して管理し、デジタル化された原本データのハッシュ値をブロックチェーン上の「トークン」の一部として管理するというようなことを考えれば、それだけで行政データの最新性確保に関する話は大いに進むはずだ。なぜなら、変更権を化体したトークンが使われていないことは、変更権が未行使であること、つまりトークンに紐づいた記録が最新にして有効なものであるということを証明してくれるからだ。

改めて考えてみると、お役所発行の証明書などという書類が「最新」のものかどうかを確かめるのは、もともと難しかった。書類や文書をデジタル化することはできる。だが、その書類を当事者から提出してもらおうとする限り、それが最新かつ有効なものであるかを確かめるのは「悪魔の証明問題」になってしまう。その書類が紙であれデジタルであれ、中身を変更するアクションが事後的に行われていないかどうかは、究極的には本人にしか分からないからである。ところが意外にも、悪しき投機や資金洗浄の手段のように金融管理当局から睨まれているらしい仮想通貨技術は、それに新しい解決を与えてくれるわけだ。

行政情報の話はこのぐらいで良いだろう。私は、そもそも技術そのものには、本来的な善も悪もないと思っている。そして、今回のコロナ禍でデジタル技術が脚光を浴びることは当然の話だし、また望ましい傾向だとも思っている。デジタル技術の持つ人と人とのつながり方を物理空間における距離から自由にしてくれるという特性は、感染症との戦いという点では私たちに力を与えるものだからである。私が「電子政府・eガバメント」などという標語を語る政府に望みたいことは、それを目指すなら目指すで、万が一にも電子政府なる構造の中にパンデミックで機能を喪失するような弱点が隠れていないかを点検することであり、また、超大規模災害やパンデミックで一部機能の喪失が生じても、全体としてのシステムが動き続けるよう分散型ネットワークから生まれた知恵を謙虚に学ぶスタンスを彼らの「新しい日常」のものとすることである。

しかし、デジタルという文脈でのもっと大きな流れは、わが日本政府の「掛け声」系とも言えるデジタル推進論ではないところから生まれつつあるような気がしている。それは、デジタル技術が人と人とのつながり方を変えることが作り出す新しい流れである。本章では、主にそのことについて書いておきたい。

ズームとはこういうものだったのか

世の中には使ってみて将来性や発展可能性を痛感する仕組みというものがある。私にとっては、それが「ズーム（Zoom）」だった。ズームとは、カリフォルニアのＩＴ企業シスコからスピンアウトした技術者らが二〇一一年に始めた同名の新興企業が提供するオンライン会議システムの商品名だが、人と人との物理的な距離を求めるウイルス感染症対策が一般化するにつれて驚くほどの勢いで利用者を増やし、二〇一九年末ころには一千万人程度だった利用者数は二〇二〇年四月には三十倍の三億人となった。

このズーム、私たちの大学院である早稲田大学経営管理研究科でも、政府の外出自粛要請に応えて全部の講義とゼミをオンライン遠隔授業に切り替えるために導入することになり、それに伴い新年度早々に全教員にアカウントが配布された。そんな事情から使い始めてみると、何とも便利なのである。そもそも大学の教員というのは楽な商売で、用事がある方はたいてい研究室に来てくれるので、私は研究室に通勤さえしていればよかったのだが、ズームを使い始めると電車に乗って動き回る必要すらなくなり、朝起きていきなり打ち合わせをしたりモノ書きの合間に講義をしたりなどということが簡単にできるようになってしまった。聞くのと見るのとでは大違いというのが実感である。

ところでこのズームについては、これまた「一気に」というほどの勢いで批判や制限論が飛び出した。米国の当局者などは、他のＳＮＳなど情報サービスとの情報共有や暗号セキュリティの不徹底あるいは多数のサーバーが中国にあることによるリスクなどを特に問題にしたようで、米国に限らず政府や金融機関などでは、関係者がズームを業務に関する打ち合わせで使うことを禁止している例も少なくないようだ。

もっとも、この程度は技術的に解決できない問題ではない。ズーム社自身も米国政府などの疑念に応えるべく対応中との話も伝わって来る。だから、重要なことは、今回のコロナ禍により世界中の多くの人が一斉にズームを使い始めたことの方である。多くの人が使うことで少数の限られた人だけが使っていたときにはなかった効果が現れることを「ネットワーク効果」などと呼ぶことがあるが、このネットワーク効果が感染症対策としての外出禁止令や外出自粛要請によって一気に高まったのが、ズームが得た勢いの正体なのである。

いささか古い話になるが、一九八〇年に米国のアルビン・トフラーという未来学者が書いた『第三の波』という警世書が世界的なブームになったことがあった。トフラーは同書の中で、人類が農耕を開始したことを「第一の波」とし、産業革命を「第二の波」としたうえで、情報化がもたらす変化を「第三の波」として、それが農業開始や産業革命と並ぶ大きな社会全体の変革をもたらすだろうと予言した。あえて古い話と書いたのは、トフラーの予言は見事なほどに的中し、私たちにとって常識に近い世界認識になっているからである。

ただ、改めて読み返してみると、トフラーの予言は当たっていたところと、そうでもないところがある。トフラーの書いたことには、工業化社会が作り出した人口の都市集中がもたらすスラム化や環境問題などを、情報通信技術の革新が解決してくれる可能性を信じているようなところがあるのだが、現実の世界を見ると、人類活動の都市集中現象自体は情報通信技術が広く普及するのと裏腹に、かえって強まっている面さえあるからだ。この問題は、

「空間経済学」などという名で「学」としての分析の対象にもなっているが、共通して指摘されるのは企業経営や研究開発などの知的な共同活動には、なお顔を合わせてのコミュニケーションが決定的な役割を果たすということのようだ。

そう思ってみると、インターネットを使いこなしメールやファイル交換で他とつながることに何の不自由も感じていないはずの人たちの活動場所が、シリコンバレーなどと呼ばれるサンフランシスコ近郊の狭い地域に集中するというのにも頷けるところがある。かつては京浜工業地帯などとして第二次産業の集積地だった東京や横浜が、今や本社機能や金融機関活動の集積地となっているのも根底は同じだろう。空間共有というのはコミュニケーションの効率という点では無視できない条件なのである。だが、その状況をズームは一気に変えてしまうかもしれない。

ここでは、ズームの利用爆発のような状況が、これからの世界をどう変えるかを考えてみることにしよう。話をズームという一つのプロダクトに限るわけにはいかないので、以下では、ズームのように、資料や映像を共有しながら多数の人が同時にコミュニケーション可能なシステムをまとめて「仮想集会プラットホーム」と呼ぶことにしよう。テーマは、「仮想集会プラットホームに起こること」と、「仮想集会プラットホームで起こること」、その二つである。

取りあえずプライバシーと自動翻訳を考えると

まず仮想集会プラットホームに何が起こるかを考えてみよう。セキュリティの向上は当然のことながら進むだろう。ズームで最も問題になったのは、ズーム社が管理するクラウドサーバーと呼ばれるコンピュータを経由して行われるコミュニケーションが、クラウドサーバーの管理者にとって（場合によっては、サーバー管理者を監督する立場にある政府にとっても）、理論的にはいくらでものぞき見ることができるという点だった。

ただ、この点についてはシステム設計専門家の間では当然のこととなっている常識的な解決策がある。それはエンド・ツー・エンドと呼ばれる暗号化通信を行うことだ。エンド・ツー・エンドの暗号化とは、デジタル通信を行おうとする二者の一方が公開鍵と秘密鍵と呼ばれる非対称鍵条件を満たす数字列のペアを作成し、片方（これを「公開鍵」という）を通信の相手方に知らせることにすれば、その公開鍵を使って暗号化されてから送られてきたデータは、通信の中継点では解読できないが、公開鍵に対応する秘密鍵を知っている鍵作成者は解読できることを利用したものが基本である（これについては「デジタル署名」と呼ばれる非対称鍵による「署名」の説明をもあわせて図表6－1に示しておく）。

図表6-1　非対称鍵の機能

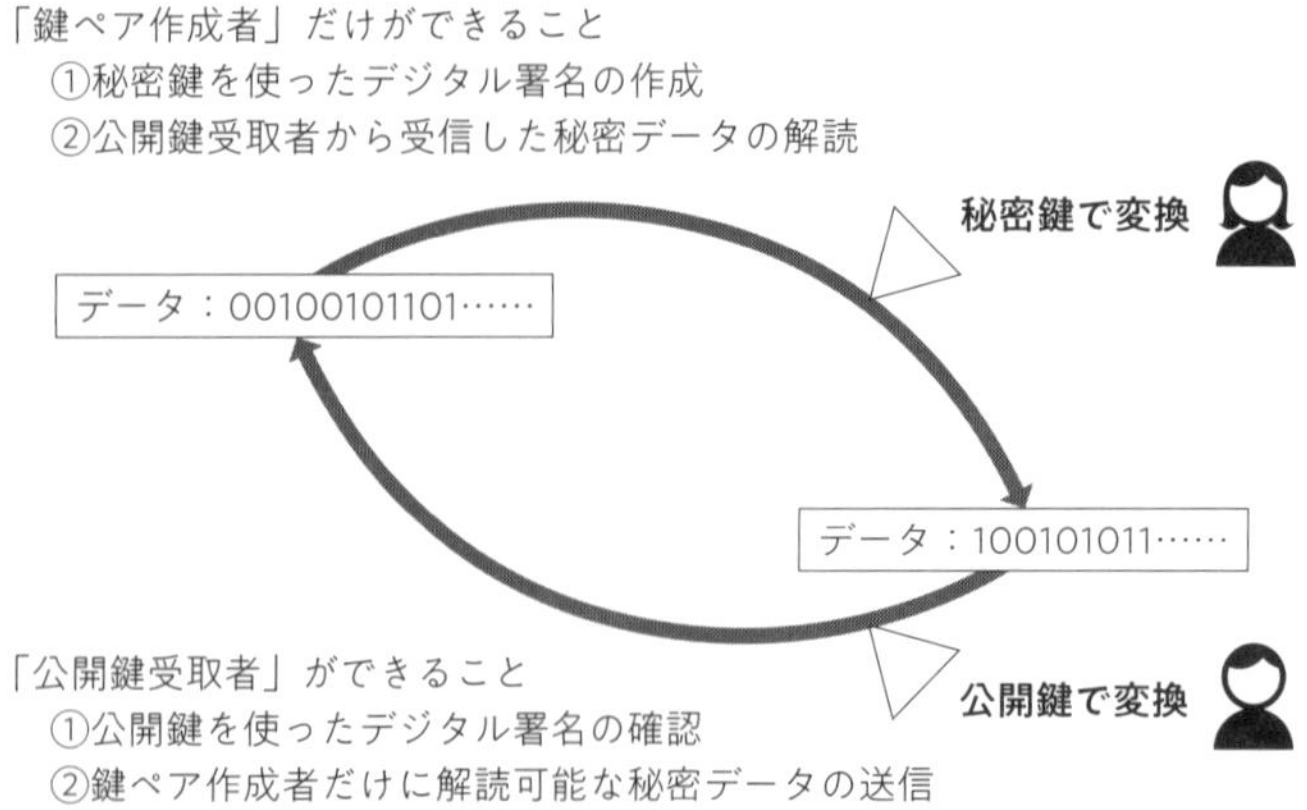
「鍵ペア作成者」だけができること
①秘密鍵を使ったデジタル署名の作成
②公開鍵受取者から受信した秘密データの解読
秘密鍵で変換
データ：00100101101……
データ：100101011……
「公開鍵受取者」ができること
①公開鍵を使ったデジタル署名の確認
②鍵ペア作成者だけに解読可能な秘密データの送信
公開鍵で変換

もちろん、こうした方式での通信内容保護を多人数参加型の仮想集会プラットホームに応用するためには、多少の工夫は必要である。ただ、それは原理的に難しい話ではない。たとえば、仮想集会に参加する人はまず非対称鍵ペアを作成して、公開鍵の方を集会ホストに送信することにすればよいからだ。こうすれば、集会ホストは仮想集会参加者が共通に使う高速通信用の暗号鍵を設定して、それを参加希望者から受け取った公開鍵で暗号化して送信するだけで、仮想集会の中身を部外者にのぞき見されることを防ぐことができるだろう。

　暗号化の話は差し当たりこのくらいにして、それ以外にどのような変化あるいは進化が、仮想集会プラットホームに起こりそうか考えてみよう。私のような語学オンチ人間がとりわけ楽しみにしているのは、コンピュータ自動翻訳との組み合わせである。ただし、仮想集会プラットホームでエンド・ツー・エンドの暗号化を行うことが普通になっていると、この話はやや複雑な展開になりそうな気もする。なぜなら自動翻訳を行うためには会話を聴かなければならないが、プラットホームのクラウドサーバーがそれを行ってしまったら、エンド・ツー・エンドの原則と矛盾してしまうからだ。どうすればよいだろうか。

最も単純な解決は、エンドつまり仮想集会プラットホームの参加者が自分のパソコンやスマートフォンに自動翻訳ソフトを導入することだが、もっと簡単便利な方法もある。アマゾンのアレクサやグーグル自動翻訳などサードパーティが提供するサービスに、自分に聴こえている声や見えている顔の表情を転送しつつ同時通訳に近いイメージで翻訳文をテキストで表示してもらうようにすることだろう。そのくらいのことなら今のズームなどの利用者もすでに行っているかもしれない。

ただ、ここにも簡単には見過ごせない問題が潜んでいる。現在におけるコンピュータ自動翻訳の動向を見ると、その主流は、生まれたばかりの赤ちゃんが、語学の先生から何も教えられなくても、耳から入って来る音としての言葉の組み合わせと、それが使われる状況とを繰り返し経験することによって、言語を理解するようになるのと同じことをコンピュータにやらせようという「自然言語処理」という方法論なのだが、この自然言語処理系の自動翻訳の世界で誰が勝者となるかを決定付けるのは、どれほど多くの文章や表現を学習対象データとして蓄積するかである。それが、この分野でアマゾンやグーグルが圧倒的な強みを持ちつつある理由である。彼らは、その強力な検索能力やデジタル文書閲覧能力を活かし、気が遠くなるほど膨大な世界中のデジタル文書を閲覧し（その相当部分は同じことが多国語で書かれている）、それらをＡＩに学ばせることで彼らの翻訳能力を日々向上させているからである。それはＧＡＦＡなどと言われる巨大グローバル情報企業たちの勢力図に、仮想集会プラットホームが一石を投じるだろうことを予想させるものでもある。

ここで貴方が自然言語処理系の自動翻訳システムの設計者だったら、仮想集会プラットホームをどう思うか、それを想像してほしい。おそらく、今までの自動翻訳では取り入れることが難しかった情報の宝庫と思うはずである。そこで行き来するのは単なる言語でも文章でもないし、発音の抑揚や文脈だけですらない。話す人の顔や表情、話し方、相手の反応、他の発言との「間」つまり沈黙さえも、意味のある情報になるだろう。そうなれば、自動翻訳ソフトだって、「See you again」を「またお会いしましょう」と訳すか「もうお会いすることはないでしょう」と訳すか、それに迷うことも少なくなるはずだ。だから、集会という「場」の全体をとらえる仮想集会プラットホームはＧＡＦＡたちの新しい奪い合いの場になるはずだし、そこに新しい参入者も現れるはずなのである。仮想集会プラットホームに集まる言葉や雰囲気は、それを集めれば集めるほど強力な情報になるし、その意義は自動翻訳を快適に使えるかどうかなどという話にとどまらないからだ。

優れた翻訳能力とは、発言者の「真意」を的確に理解して他に伝える能力なのだとすれば、その能力は、消費者が何を買いたいかを知りたいネット通販企業だけでなく、市民あるいは国民のうちの誰が本気で自分を権力の座から引き降ろしたいかを知りたい大統領や首相あるいは国家主席などにとってもぜひとも欲しい能力になるだろう。

もう私が何を言いたいか、分かっていただけたと思う。話は、エンド・ツー・エンドのセキュリティ問題とか、自動翻訳サービスとの親和性問題というような、いわば技術的な範囲にとどまらないのだ。今までは「密閉・密集・密接」の「三密」の会議室で行われていた集会が、インターネット上の仮想空間で行われるようになれば、それは都市への人口集中問題対策にもなるし、言うまでもなく感染症蔓延防止策にもなるだろう。だが、それは私たちと巨大情報企業との間に、これまでとは異なる依存と緊張との関係交錯が生じることを予感させるものでもある。そんな予感を抱きつつ、仮想集会プラットホームで何が起こるか、それを次に考えてみることにしたい。

新しい企業のかたち

仮想集会プラットホームが作り出す変化は、企業の経営現場ではすでに現れている。社内での打ち合わせや取引先との定例的な打ち合わせをテレワークで行うことは、すでに多くの職場で普通になってしまっているようだ。そして、変化は、企業が新しい機会を求めて展開する行動つまり「営業」にも急速に及ぶだろう。

私にその実体験があるわけではないが、今までの営業というのは気を遣う仕事だったようだ。新しい取引先とつながるためには、相手の会社のキーパーソンを探り当て、伝手を求めて走り回り、ようやく面会のアポを取り付け、そして次にいよいよ、というような手順を踏まなければならない。その手順の本質が仮想集会プラットホームで変わるわけではないだろうが、それにかける時間と費用の負担は軽くなるはずだ。時間と交通費をかけて出かけて行くということや、そうして来てくれたお客様のために時間と会議室を確保してというようなことが重要な要素でなくなれば、「昔からの取引先とつながっていること」の価値が色あせたものとなってしまうのである。それは、企業と企業あるいは企業と金融機関などとの関係を、最初は徐々に、しかしやがては根底から変えてしまうかもしれない。大企業とその協力企業との関係や企業とメインバンクとの関係は、これまでよりずっと流動化するだろう。そんな問題意識はすでに聞こえ始めている。

しかし、私は、それは、仮想集会プラットホームが現代の企業に与える影響の一部に過ぎないと思っている。長期的に見て重要なのはそれが企業という「人のつながり方」に与える効果だろうと考えるからである。

常識的かつ単純な図解で恐縮だが、**図表6―2**を見てほしい。上段は現在の普通のつながり方である。企業に属する人たちは、あくまでも自身と雇用関係にある企業の一員つまり会社員として、取引先や研究開発連携先などの他の企業の会社員たちとつながっている。したがって、彼らが「強いつながり」として意識するのは同じ企業に属する同僚や上司あるいは部下とのつながりであって、取引先や研究開発連携先などの担当者や研究者たちとのそれではない。したがって、離れたところにいる取引先や研究開発連携先と一緒にプロジェクトを進めようとするときの企業人たちの動き方は、まずは社内の関係者の意見や利害をまとめ、しかる後にアポを入れて社外に出かけていく、それが基本だったはずだ。もっとも、そんな実態に対しては、企てるプロジェクトのメリットやリスクをよく知る者同士が企業の内外を問わず打ち合わせをして中身を詰め、しかる後に社内にはかる方が効率的だという声もあっただろう。また、専門的な知識の集積や創造する心が重要な分野では、このコロナ禍の前で

図表6-2　企業活動における人のつながり方

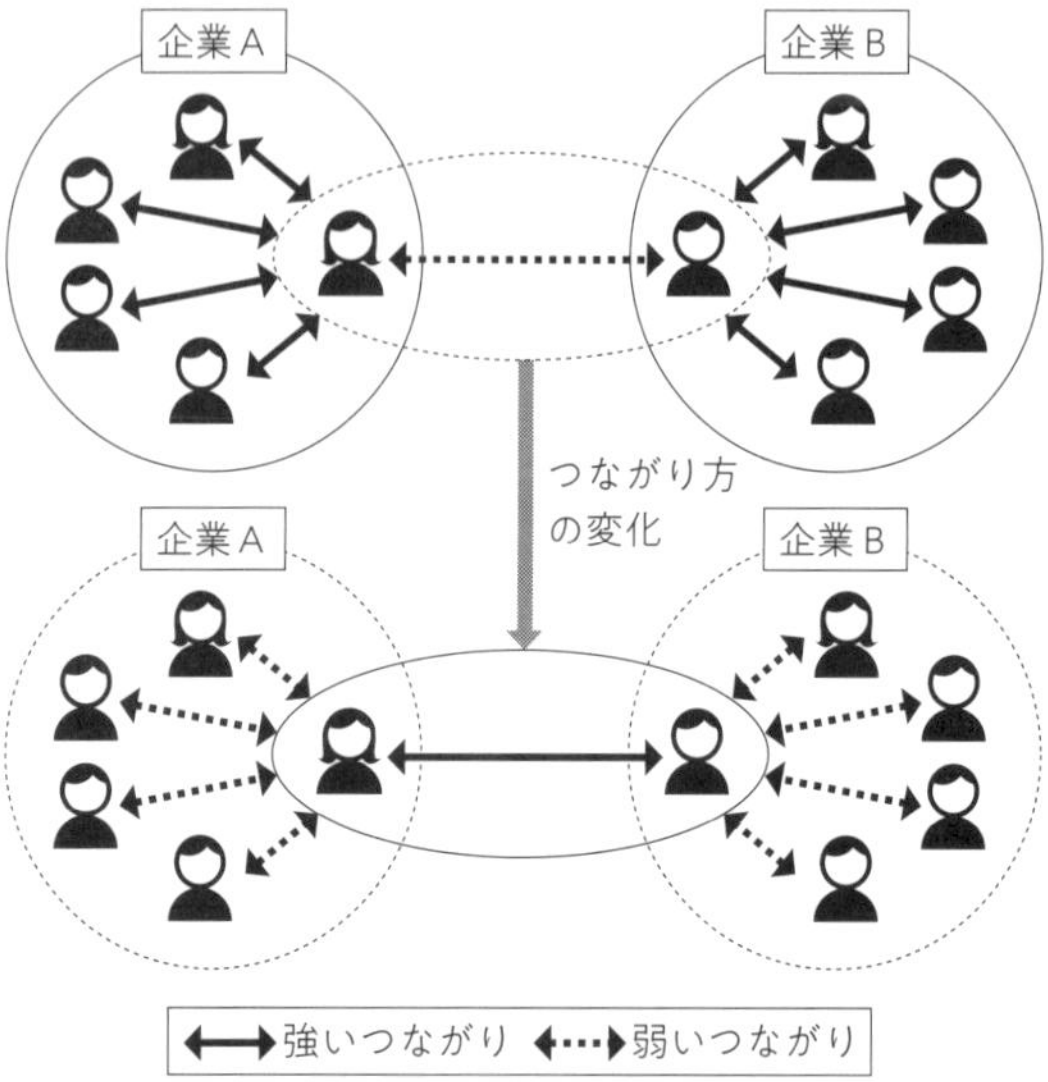

も、企業活動における人のつながり方は、図の上段に描いたような構造よりも下段に描いたような構造の方へとシフトさせた方が良いという認識があり、そんな問題認識自体は、企業組織のフラット化などという掛け声とともに、現代の企業社会の中に浸透していたように思う。

しかし、分かっていることと実行できることとは違う。組織構造を変えるには時間と費用がかかる。ところが、そうした時間や費用の問題を一気に蹴散らしてしまったのが、コロナ禍によるテレワークの推進であり、それを受けた仮想集会プラットホームの爆発的とも言えるほどの普及である。好むと好まざるとを問わず、知識や創造経験の積み重ねが重要な企業活動における ほど、社外と社内での「人のつながり方」の強弱はどんどん逆転する方向に向かうだろう。そして、それは、私たちが当然と思ってきた「株式会社」という企業形態にも大きな変化を促すものになる。

意外に思う読者も少なくないかもしれないが、株主の有限責任とその会社支配を原則とする現代の株式会社が企業組織の一般的形態として定着したのは、それほど古いことではない。株式会社が一般的な企業組織形態になるということを、誰でも資本金を払い込めば株式会社を作ることができるという法制度の確立だとすれば（これを「準則主義」による会社設立の自由化という）、主要と言われる国の中でそれを最も早く整備したのは英国で、それは一八五六年と六二年の二度にわたる株式会社法整備によってだった。日本の会社法制が準則主義に移行したのは一八九九年で明治政府の成立から三十一年後だが、米国はデラウェア州会社法が嚆矢とされているから、それは一九〇二年、つまり日本に遅れること三年ほど後である。ちなみに、世界最初の株式会社と言われるオランダの東インド会社は一六〇二年の設立だし、オランダより一足早く一六〇〇年に設立されていた英国の東インド会社も一六五七年には株式会社に改組されているから、株式会社という仕組みが知られていなかったわけではない。それどころか、産業革命期の英国に現れ現代の経済学の祖とされる一八世紀のアダム・スミスも、あの『国富論』の中で株式会社の「非倫理性」について厳しく批判しているくらいだから、そういう企業設立のやり方があるということはよく知られていたのだろう。では、なぜ株式会社という仕組みは、一九世紀後半から二〇世紀初に至るまで一般化しなかったのだろうか。

理由は必要がなかったということに尽きる。産業技術が進歩し企業家と言われる人たちが現れてきても、多くの企業活動が紡績や織物などの軽工業と言われる分野で展開されている限り、不特定多数の人たちから大量の資金を集めることに意味がある事業は多くなかったのである。それが変わったのが、鉄道業や鉄鋼業に代表される巨額の設備資金を要する重工業が産業の主役となった一九世紀である。株式会社という制度は、そうした資本集積の必要から生まれ普及した企業形成の方法論だった面がある。そして株式会社という組織論は確かに成功した。それを取り入れた国あるいは地域から世界は豊かになってきたからである。

だが、現代の知識集約型企業たちを形成する最も本質的な要素は、果たして資本なのだろうか。私にはそう思えない。現代の先端的とされる彼らの本質は、資本の集積ではなくそこに集まる人たちが作り出す関係性そのものだからである。知識集約型企業たちの本質は「人が集まる場」の提供なのだ。私が期待するのは、今回のコロナ禍で解き放たれた感のあるコミュニケーションのかたちの変化が、現代企業の本質が人の関係性であることを再認識させ、それを軸にした新しいかたちの企業組織、より具体的に言えば、株式会社でない新しい原理による企業組織が登場し普及することである。

改めて世界を見渡してみると、合意と協力の関係から形成される創造的活動の中から必ずしも株式会社という組織論によらず自己運動している仕組みを発見することは、すでに難しくなくなっている。コンピュータあるいはネットワーク技術に関する仕組みに限定しても、多くの携帯電話やカーナビなどに組み込まれていて、私たちが気付かずに使うこともあるリナックス（Linux）というコンピュータのOSは、そうした集団により、もう三十年近くも前から基本的に無償で提供され続けている。また、イーサという名の仮想通貨取引を記録するブロックチェーンであると同時に、その記述に仮想通貨の移転その他の契約実行に関する自律性あるいは自己完結性を持たせたことで注目を集めたイーサリアムというプロジェクトも、株式会社によらない新しいかたちの企業という性格を持っている。

これらは、株式会社が、株主に選任された取締役たちを頂点とするピラミッド型の組織であるのに対置して「自律分散組織（DAO・Decentralized Autonomous Organization）」と呼ばれることがあるが、現代の資本主義が、成長の屈折に直面する一方で格差拡大などの弊害をも露呈するなかで、株式会社型組織の役割の相当部分をDAOたちが果たす日が来る可能性を私は期待している。そして、そうしたDAOたちの合意形成を支えるためには、コロナ禍で一気に普及した仮想集会プラットホームは有力な基盤になるとも思っている。

低くなる国境の壁と厳しくなる監視

ところで、こうした企業組織形態の実質変化に国家たちはどう対するだろうか。彼らにとって遅かれ早かれ重大な問題になるのは、国境あるいは国籍が意味を失っていくことである。株式会社は「法人」なので、そこには国籍という概念があるが、仮想集会プラットホームに支えられた「人のつながり」に国籍は必要ないからだ。

私は、一九世紀に始まる重工業を軸にした経済成長の時代に株式会社組織が普及したのには、工場や機械などの資本設備の所有権を特定の「人格」に帰属させる必要があったことが大きいと思っている。これに対して、「人のつながり」を基盤とする企業活動では資本設備は重要でない。重要なのは知識や経験あるいは感性などの共有である。そして、これらは、著作権とか特許のようなかたちで国家権力による保護を求めるのでなければ、そもそも所有という概念とも無縁だし、また「法人」などという法的枠組みに支えられなくても自己運動できるはずだ。

しかし、このことは企業活動に関与し支配しようとする国家たちには新しい不都合と映るかもしれない。

もっとも、国家統治の基盤を、そこに住む人たちの自然な帰属意識そのものに求めて人々の「心」に干渉することには求めないという伝統を持つ西欧型民主主義の国家においては、このことは必ずしも重大な不都合ではない。こうした国家において国内における豊かさの創出が法人でない「人のつながり」により支えられる社会が実現したときに生じる最大の問題は、それが財政基盤に与える影響つまり法人税収の相当部分の喪失くらいであろうが、それは国家という仕組みの維持可能性について核心的な利害ではないからである。そもそも、こうした国家においては、第五章の**図表5−4**あるいは**図表5−6**で示したように、すでに法人税収そのものが企業活動を自国領域内に呼び込もうとする「底辺への競争」によって、国家財政の基盤として大きなものではなくなっている。

他方で、仮想集会プラットホームに支えられた「人々のつながり」が大きくなること自体を、国家維持のための重大な危機と位置付けざるを得ない国もある。それは、中国のように、領域内に住む人に対し国家体制への意識レベルでの帰属を法的に義務付け、体制への不穏な心を抱く者たちへの不断の監視を行うことで国家を維持している国々である。彼らにとっての仮想集会プラットホームは、国家全体をより強固に結びつける道具になると同時に、不心得者たちが国の内外で互いに結びつく危険な道具にもなり得るからだ。そこに、仮想集会プラットホームの普及が彼らの核心的利害に触れるだろうと考える理由がある。

ただし、不穏な心を抱く者たちが仮想集会プラットホームで結びつくと言っても、それが国内での結びつきに限られるのなら、彼らはそれを管理する方法論を持っている。政府の核心的利害を理解しそれに反しないように行動する企業を保護し、そのサービスの利用を奨励するという方法論である。

中国では、他国の人があまり使うことのない「百度（バイドゥ）」という検索エンジンが広く使われているが、これは百度を提供する百度社（バイドゥ・インク）の成功事例であると同時に、中国政府の成功事例でもある。仮想集会プラットホームが「人のつながり」において大きな意味を持つようになると（感染症対策として大きな役割を認めざるを得なくなると）、必ずや中国政府は同様の方法論でプラットホームたちを統御しようとするだろう。そして、それは、新たな国家間の軋轢を生むと私は思う。

改めて頭を整理すれば、検索エンジンを使ってインターネットに存在する情報を調べるというのは検索者の個人的行動である。日本人がグーグルを使って得た知識をベースに、そして中国人の相手方が百度で得た知識をベースに、互いのコミュニケーションを組み立てても、それで意思疎通に大きな齟齬をきたすわけではない。しかし、仮想集会プラットホームにおけるコミュニケーションは、参加者が同じプラットホームを選ぶこと自体に意味があるはずだ。だから、国境を越えた人のつながりを仮想集会プラットホームで支えようとすると、その統御を巡って、西欧型の国家たちと中国型の国家たちとの対立が、遅かれ早かれ燃え上がるはずだと私は思う。

そして、そこに自動翻訳などの機能を加えるということまで考えると、事態はより深刻になる。翻訳を行うのが機械であろうと生身の人間であろうと、そもそも翻訳とはコミュニケーションの中身に立ち入る営みであり、そこに究極のエンド・ツー・エンドを求めるのは難しいからだ。想像してほしい。もし貴方が、中国にいる人たちと言語の壁を越えてつながりたいと思ったとき、貴方の相手が中国政府公認の仮想集会プラットホームや自動翻訳エンジンしか使うことを許されていないと言ってきたら、貴方は自分が使い続けてきたエンド・ツー・エンド暗号化型のプラットホームに固執し続けることはできないかもしれない。もし貴方に、十四億の人口を擁する中国の人たちとつながりを作ることを求める商売上のライバルがいるとしたら、貴方とライバルとの関係はゲーム理論でいう「囚人のジレンマ」の状況に陥り、結局のところ貴方も貴方のライバルも、中国政府公認の仮想集会プラットホームを使うというジレンマ均衡に向かって突進することになる可能性があるからだ。

コロナ禍は、否応なく、私たちのつながり方を、顔を合わせての関係構築から、デジタル技術を基盤とするコミュニケーションへと導くところがある。人と人との間で「社会的距離」あるいは「物理空間的距離」を保つのは、今回のＣＯＶＩＤ-19と名付けられた感染症に限らず、未知の感染症に対するためにも基本的な方法論だからである。だが、それは感染症予防だけでなく人口都市集中抑制や環境破壊予防にもデジタルが役立つという明るい未来図を人類に提供すると同時に、物理空間を支配する国家と国家との新たな緊張の火種にもなり得ることをも示唆する。

デジタルを夢にするか悪夢にするか、それを決めるのは私たち自身なのである。

第 7 章

グローバリズムは変わるのだろうか

国家プレイバック？

コロナウイルスは、グローバリズムの波に押されるままだった国家たちの姿を変えた。世界は国境で分断され、国家は州境あるいは県境で区分されるようになった。世界がグローバリズムに熱狂していた時代には境界がないことが善だったが、パンデミックの脅威にさらされると、境界があることが善になってしまった。少し前まで自身の域内に多くの企業活動を呼び込むことを競い合っていた政府たちは、今度は領域を越える人々の動きを抑え込むことに取り組まざるを得なくなった。潮目は変わったのだろうか。それとも、これは一時の揺らぎに過ぎないのだろうか。

グローバリズムというのは、要するに国境を越えるヒトとカネそしてモノの移動の自由化である。ただし、モノの移動の自由つまり自由貿易は一九世紀以来の世界経済の長く大きな流れだが、ヒトの移動の自由つまり人々の活動地選択の自由と、カネの移動の自由つまり資本移動の自由、これらが加わったのは、それほど古いことではない。

世界が変動相場制に移行した一九七〇年代以降の標準モデルとなった国境を越える資本移動の自由は、より多くの企業活動を国内に引き寄せようとする政府たちの間の競争、いわゆる「底辺への競争」を作り出すことになった。この競争は、一九八〇年代に入ると、英国首相サッチャーと米国大統領レーガンらに主導された「新自由主義」により大きく加速された。新自由主義の本質は二度の大戦と東西冷戦で生まれた福祉国家のイデオロギーが成長を阻害しているとして、企業のオーナーである富者を優遇することでパイの大きさを増やすことを重視するところにあったからだ。だが、そこで生じた問題は、そうした優遇のツケは誰かに回さざるを得ないというところにある。

ツケがどこに回るかは明らかだろう。割を食うのは、いわゆる中間層である。グローバリズムが作り出したヒトの移動の自由は、引退後の生活を税金が安い国や現役時代の不正を検察特捜部に追い回されない国で過ごそうかと考えている富者たちに居住地選択の自由を与え、エージェントに搾取されながら国境を越えてくる外国人労働者を低賃金の労働力として雇い入れようとする企業に裁量の自由を与えたが、中間層の人たちがグローバリズムで得た自由とは、せいぜい一週間や十日間の海外バケーションという程度でしかない。中間層と呼ばれる人々は、世界のどこでも暮らせるほど裕福ではなく、しかし貧困に耐えかねて国を捨てるほどまでは追い詰められていない人たちだからである。現代の国家は、好むと好まざるとにかかわらず、国家を財政的に支える重荷を彼らに負わせざるを得なくなっている。そして、それは、今の世界で顕著になりつつある中間層の崩壊にグローバリズムが一役も二役も買っていることを意味するものにもなる。

では、そのグローバリズムが作り出す底辺への競争に、コロナ禍は歯止めをかけることになるのだろうか。富者への優遇あるいは資本への優遇という現代世界の大きな潮目を変えることになるのだろうか。

ことはそう簡単でなさそうだ。

資本移動のメガトレンドは変わらない

感染症への恐怖は、少なくとも一時的にはグローバリズムを止める面がある。ヒトの移動、それも、低賃金での労働を提供する季節労働者とか貧しい移民たちの国家間移動に対しては、今回のコロナ禍は強いブレーキをかけた。しかしその一方で、日本に比べればはるかに深刻な感染拡大を経験したはずの欧州でも、そのピークを過ぎるや域内他国からの観光客呼び込みに動き始めている。長い眼で見れば、感染症への恐怖がブレーキをかけるのは人々の移動、それも最も貧しい人々の移動に対してで、そうでない人々の移動に対してではない。彼らの移動は、長い歴史の流れから見れば、ほとんど瞬間と言えるほどの短い何か月かは非常停止させられたが、遅かれ早かれ流れは戻って来るだろう。だが、豊かな老後のために海外移住をと考える人たちや、忙しい日常から逃れてつかの間のバケーションを楽しもうとする人たちと、生まれた国の絶望的貧困や政治あるいは宗教勢力による迫害から逃れ、少しでも豊かな国で働くことで生活の糧と日常の安全を得ようと移動する人々の動きを、グローバリズムという言葉で一括りにすべきではなかろう。エリートたちの議論や会議ならオンラインでやればよいだろうが、移民や季節労働者が担う農作業や介護サービスはオンラインで行うわけにはいかないのだ。そのとき何が起こるだろうか。

今回のコロナ禍は、最初に東アジアで顕在化し、やがて西欧と北米に拡がって打撃が深刻化した。そして、ロシアを含む東欧や中南米であるいは南アジアと西アジアで重大化しそうな雰囲気である。このウイルスをインフルエンザの一種だとして、隔離あるいは社会的距離確保型の感染症対策を取らないことを方針としているジャイール・ボルソナーロ大統領のブラジルの感染者数と死者は、五月には欧州諸国を抜き、この本を書いている六月には感染者数百三十万人、死亡者数五万七千人と、大統領トランプが主導した支離滅裂とも言える経済再開もあって感染数二百五十万人、死亡者数十二万五千人と、「首位」にある米国に迫る勢いになっている。このブラジルのやり方が、後世からどう評価されるか分からない。仮定の話だが、このウイルスがかつてのスペイン風邪のように、致死性において数倍も凶暴なものに前触れなく変異し、しかも変異型に対して今のウイルスに対して獲得した免疫が有効だということが起こったら、隔離あるいは社会的距離などで対応している日本や欧州が「負け組」になり、欲と道連れで経済再開に動き出したトランプの米国や自暴自棄とも言えるボルソナーロのブラジルが「勝ち組」になる可能性だって皆無とは言えない。

だが、ここで考えたいのは、結果として「勝ち組」になるか「負け組」になるかではない。感染症の恐怖と暮らす世界という観点からすれば、長期的に世界を分断するのは、いま自分たちがどんな状態かということに対する認識と何を感染症対策の基本とするかについてのポリシーの差となるように思われるからである。それらが異なる国との間での人々の自由往来については、少なくともウイルス感染症治療薬が開発され大量供給されるまでの間、国民の命を大事にする国たちは、否定的あるいは抑制的にならざるを得ないはずである。これを言い換えれば、感染症を封じ込んでいると認めあえる国の間での人々の往来は復活しても、そうとは信じあえない国の間での人々の往来は復活しないだろうということである。南仏ニースのビーチで日光浴をするドイツ人やスイスのスキーリゾートでシャンペンを傾けるフランス人たちの姿は復活しても、その欧州における移民や難民あるいは季節労働者に対する境界は厳しく閉ざされたままというような状況は続きそうなのだ。

すると何が起こるだろう。そこで起こるのは、先進国と言われる国々の一部で単純労働の単価が上がる、あるいは、非正規雇用や季節雇用の拡大に歯止めがかかるという現象である。東西冷戦終結後、東欧からの安価な労働力を主として季節労働者のかたちで受け入れてきたドイツの農業などには、そうした動きが現れ始めているらしい。しかし、それは農業のような産業においてこそ起こりそうな現象である。農業はそれが行われる土地の性質や環境条件に依存する産業だからである。

しかし、製造業ではそれと異なる現象が起こるはずだ。製造業の拠点は基本的に世界のどこにでも立地できる。いわゆる事務作業も事情は同じだ。事務作業の相当部分も、オフショアリング業務などという言葉が示す通り、作業場所が国内であるか国外であるかを問わないものになりつつある。すると起こるのは、製造業や事務作業の実行地の国際間移動、具体的には北の豊かな国から南の貧しい国への作業拠点の移動である。そうなれば、国内の失業率に敏感な政府たちも対応に動かざるを得なくなる。つまり、資本呼び込み競争あるいは資本繋ぎ止め競争というメガトレンドは変わらないどころか強まる可能性の方が高いのだ。しかも、COVID-19というコロナ禍はピークを過ぎても、あるいはワクチンや治療薬の開発がこのウイルスに対しての安心をもたらしたとしても、次なる感染症がさらに恐ろしいパンデミックになって登場しない保証はない。だから、パンデミックの危険への認識は、低賃金の労働力が国際間を移動しようとすることにブレーキをかける一方で、低賃金の労働力を求める企業活動の国際間移動を促し、国家間での資本優遇競争としての「底辺への競争」を加速しかねない。それは私たちの世界をどこに導くだろうか。

格差の拡大と中間層の崩壊は続く

私は、今回のコロナ禍が世界的なパンデミックになったことで世界的な格差拡大の相はさらに複雑化すると思っている。

日本のような「北の国」について言えば、低賃金の労働提供により暮らす人たちの間での格差は縮小する可能性がある。低賃金かつ不安定な条件での就業を余儀なくされていた人たちの就労条件については、海外から流れ込む競争者の減少によって若干の改善を見るだろうからだ。ただ、それが低賃金労働者たちの総所得の増加をもたらすかどうかは分からない。時間当たり賃金は上昇するが総労働時間は短くなり、総報酬は減少するかもしれない。しかし、彼ら以上に「割を食う」のは、中間層と呼ばれる人たちであろう。彼らの就労条件には改善する理由はなく、しかも経済停滞の影響を最も手ひどく受けるのは彼らだろうからだ。本書の第五章で消費税を拡張付加価値税へと進化させ、多段階納税のリンクの中に給与所得者を組み込むべきと書いたのは、その流れに一石を投じたいからでもあるが、それだけで中間層へのツケ回しが止められると考えるほど私は楽観主義者でない。拡張付加価値税の提案はコロナ禍のような予測できない災害が財政を破たんさせないための制度的防壁にはなるが、それ自体が「底辺への競争」を変えるものではないからだ。底辺への競争により私たちの自由な世界が崩壊してしまうことを阻止するためには、株主を企業の絶対的支配者とする資本の論理そのものを変革しなければならない。それがあり得るかどうかは分からない。二〇一九年夏の米国の「ビジネスラウンドテーブル」なるフォーラムの提言など、企業エリートたちの意識には変化の兆しはあるが、楽観できるほど大きな動きにはなっていないし、むしろ今回のコロナ禍で色あせてしまったような面すらある。

では「南の国」はどうだろう。憂鬱になるのは、北の国から南の国への資本移動が彼らに幸福をもたらすかと言えば、必ずそうだとも言えない面があることだ。

一九世紀に西欧型世界で一般化した国民国家形成運動とは、国家をそこで暮らす人たちのものにする運動だったという面がある。議会制民主主義とか普通選挙などという「政体」をどうするかということとは別に、国民国家とは、そこに住む人たちの間で自身を国家の主人であるとする意識が共有されるようになった国家のことである。しかし、今の世界でも、とりわけ「南の国」には、建前を民主主義としていても、国家が一部の特権階級のものであるかのような国が少なからず存在する。そして、国際間で拠点選びをするグローバル企業が国外に拠点を設けようとするとき、国民が国家の主人である国よりも、国家が特権階級のものである国を選んだ方が、少なくとも短期的にはうまくいく面もある。現地従業員たちの要求を抑え込むのに協力してくれる特権階級と結びつきたいという誘惑から、彼らグローバル企業たちが自由であることは難しいからだ。

もちろん、それは短期的な誘惑である。外国企業と特権階級との結びつきが民衆の怒りを招き、長期的には最悪の結果を招いた例ならば、かつてのパーレビ朝時代のイランに膨大な利権を確保していた米国の成功と失敗の物語など枚挙に暇がない。だが、短期的な結果を求める株主ガバナンス下にある現代の巨大企業において、特権階級と結びつきたいという誘惑に勝ち続けることは至難であろう。かくして、北の国から南の国へとグローバル企業が拠点を移すことが、南の国の民衆にとっても常に良い話であるとは限らないという現代の苦い物語が其処此処に聞かれることになってしまう。

コロナ禍でいったんは停止したグローバリズムは、経済再開の掛け声とともに再び動き始めるだろうし、それを構成したヒトとカネそしてモノの移動についても、モノについては言うまでもなく、またカネについては、ヒトつまり労働力の南から北への移動が制限されるのを補うように、これは北から南への資本移動が活発になるだろう。それは、これまで豊かな北の国々の間で主として展開されていた「底辺への競争」に南の国々が参加し、資本と富者への優遇競争が一段と露骨に展開されるシナリオを予想させるものですらある。そして、そこから来る財政負担は中間層にツケ回すほかはないのだ。

裂けていく世界

世界経済におけるグローバリズムは復活しても世界政治における協調は戻ってこないだろう。米中貿易戦争で始まった裂け目は、このコロナ禍でますます拡大していくようにみえる。この原稿を書き始めた二〇二〇年五月、嫌なニュースが飛び込んできた。米国大統領トランプがWHOを脱退すると声明したというのだ。これは、感染症対策が新しい世界分断の火種になりかねないことを私たちに示している。

私は、今回のコロナ禍におけるWHOの動きについては、彼らの総会における台湾排除だけでなく、これはテドロスという事務局長個人の資質によるものだろうが、PCR検査拡充にウイルス対策のコアがあるかのような発言、すでに火が燃え広がっていた欧州の情勢から目をそらさせることにつながった発言、そして人権あるいは自由など眼中にないかのような強圧策で感染を封じ込んだ中国を礼賛するかのような発言、そうした発言の数々には違和感を抑えかねるところがある。だが、米国の大統領はそれ以下である。脱退カードを掲げてWHOに圧力をかけるやり方や、ウイルスの発生源についての中国批判などからは、今秋

（二〇二〇年秋）の大統領選挙を控え、二月末まで「米国では非常によくコントロールされている」などと言っていた自身の失態から眼をそらさせたい意図が丸見えだからだ。

しかし、テドロスとトランプという二人の指導者の資質の話をしても仕方なかろう。問題は、このウイルス感染症で世界最大の感染者数と死者を出している米国がＷＨＯという枠組みから抜けることが世界に与える損失である。いささか不穏当な言い方になるが、ワクチン開発だって治療薬開発だって、最も多数の感染者を抱える米国は、研究開発体制や資金余力だけでなく感染症に関する情報という点でも、世界最大の「資源」を抱えていることになる。ＷＨＯ脱退声明というトランプの行動は、いつもながらの彼の短気と浅慮の露呈あるいは国内向けの選挙対策のようにみえながら、結果としては、（彼の失態のせいもあって）たまたま世界最大の感染者数という「情報資源」を手に入れた米国の国益にも結び付いてしまうのだ。だが、それが予想させる世界の未来はより陰鬱なものとなる。米国内外から、今回のトランプの発言がＷＨＯをいっそう中国寄りにすることのリスクを懸念する声も上がっていたようだが、そうした懸念の声が上がるということ自体、感染症対策を巡って世界が裂けるという現象、名付けるとすれば「感染症対策ブロック」とでも言うべき現象が出現しかねないことを示しているだろう。

こうした世界の亀裂は、有望なワクチンあるいは治療薬が現われたとき、さらに顕在化する可能性が高い。コロナウイルスの第二波第三波に怯える国々の政府にとって、可能な限り大量のワクチンや治療薬を確保することは、自国民の支持を繋ぎ止めるためだけでなく、いわゆる経済再開のスピードをも左右する鍵になるからだ。そのとき、日本を含む世界の国々は、どのような国を中軸とするウイルス対策ブロックに参加するか、その選択を迫られることになるかもしれない。一九三〇年代の世界大不況期に出現したブロック経済は第二次世界大戦の原因の一つにもなったが、それを教訓とする気持ちは現在の米国の大統領にはないようだ。その暴走を止めるのは今秋の大統領選における米国民たちの投票行動でしかないとしたら、それ次第では、日本も第二次大戦後の豊かさの源泉にもなってきたこの国との関係について見直さざるを得ない立場に追い込まれる可能性すらある。

トランプ政権がドイツのチュービンゲンに本拠を置きワクチン開発で先行するとされていたバイオベンチャー企業のキュアバク社に接近、多額の資金提供の見返りに米国だけに独占的にワクチンを供給させようとしたとの疑惑が三月に報じられたことがあったが、ワクチンや治療薬を巡る争奪戦の火種が米独という緊密な同盟関係にあるはずの国の間でも存在していることと、それが資本の論理により進められていることの、その両方の危うさをこの事件は示しているように思える。

そして事情を複雑にしているのは特許制度の存在だろう。日本や米国そして欧州を含め大多数の国の特許制度には「強制実施」と呼ばれる制度が設けられていて、重大な公共の利益のためには政府の承認のもとに他人の特許を利用することができる。これは、世界貿易機関WTOでも認められているルールであるが、とりわけ医薬品分野ではこれを積極的に運用する動きがある。有名なのはインドで、同国は二〇一二年にドイツのバイエル社のがん治療薬特許を「相場よりかなり安い」と評された対価で利用（強制実施）したことがある。一般的に言えば外国人や外国企業の持つ特許を強制実施すると、その母国から報復的な措置を受けやすいし、特に新興国の場合は開発援助がカットされたりすることを怖れるので、これまで外国人や外国企業の特許を強制実施することができるのはインドのような新興国のなかでの「大国」に限られていたのだが、コロナ禍はその図式をも変えるかもしれない。

どう変えるか。予想されるのは、米国を中軸とする旧西側先進国グループと、中国やロシアあるいはインドを含む一つまたは複数の新興国グループの対立である。そうした対立が深刻になれば、それは世界の裂け目として新たな不安定要因になるだろう。

これは予兆に過ぎないかもしれない

今回のウイルス性肺炎で激しい苦しみを味わった方々や亡くなった方々のことを思うと、

これは軽々に口にすべき言葉ではないが、グローバル化した二一世紀の世界が初めて直面することになった衝撃的パンデミックがＣＯＶＩＤ-19程度で良かったと思ってしまうことがある。医療技術の進歩や防疫知識の普及に助けられている面もあるが、これまでに人類を襲った数々の感染症と比べれば、感染力という点でも致死性という点でも、ＣＯＶＩＤ-19は人類を滅亡の危機に追い込むほどの難敵ではないように思える。

そして、日本はＣＯＶＩＤ-19に鍛えられていくらかは賢くなったと思う。いくつかの偶然に助けられたとはいえ、警察力や軍隊を出動させなくても、人々の自律の心により感染症の勢いを止めることができるということを示せた経験は、やがては評価されるときが来るはずだ。それは、ＣＯＶＩＤ-19のような、あるいはＣＯＶＩＤ-19よりも恐ろしい感染症が現れたときにも役立つはずである。

日本の現状について言えば、列島を事実上のロックダウンにまで追い込んだ危機は、まず当面は収まりつつあるようにみえる。しかし、それは危機が去ったことを意味するものではない。それは、現在の状況は人々の接触を抑制するという方法によって支えられているに過ぎないからだ。このウイルスに普通のインフルエンザウイルスと同じように対するためには、感染予防のためのワクチンと重症化を防ぐための治療薬の開発が条件になる。それらについては、この本を書いている二〇二〇年六月という時点では、なお予断を許さない状況でである。しかも、予防薬と治療薬が実用化されれば、私たちの世界はCOVID-19以前に戻れるわけではない。予防薬や治療薬に関する今回の努力で作り出せるのはCOVID-19という特定のウイルス感染症に対する対抗力だけなのに対し、それ以外の未知のウイルスがいつ別の脅威として現れるかは分からないからだ。だから、もし人類がCOVID-19を起こすウイルスSARS-CoV-2を地球上から消し去ることに成功したとしても、別のウイルスが出現すれば同じことが繰り返されるだろう。いや、SARS-CoV-2よりも感染力あるいは致死率において上回るウイルスが出現すれば、今回と同じことをしても脅威を抑え込むことはできない可能性がある。それは、現代の世界が再びグローバリズムへと回帰するとしても、その前の世界は単純には帰って来ないことを意味する。

人類史上最大の惨禍になったとも言える二度目の大戦を招いたのは、貿易と投資のブロックによる世界分割だったが、感染症に怯える今の世界では、感染症対策ブロックにより世界が分裂し、感染症だけでは始まらなかった真の悲劇が開始されるかもしれない。その懸念を私は去らせることができないでいる。

私たちの眼の前にあるもの、それは予兆に過ぎないかもしれないのである。

〈著者紹介〉

岩村　充（いわむら・みつる）

1950 年、東京都生まれ。東京大学経済学部卒業。日本銀行勤務を経て 1998 年より早稲田大学教授。著書に、『貨幣進化論』（2010 年・新潮選書）、『中央銀行が終わる日』（2016 年・新潮選書）、『金融政策に未来はあるか』（2018 年・岩波新書）、『国家・企業・通貨』（2020 年・新潮選書）などがある。早稲田大学博士。

ポストコロナの資本主義

挑戦される国家・企業・通貨

2020 年 8 月 20 日　　1 版 1 刷

著　者　岩村　充
©Mitsuru Iwamura, 2020

発行者　白石　賢

発　行　日経 BP
日本経済新聞出版本部

発　売　日経 BP マーケティング
〒 105-8308　東京都港区虎ノ門 4-3-12

装　幀　山之口　正和（OKIKATA）

DTP　マーリンクレイン

印刷・製本　シナノ印刷

本書籍に関するお問い合わせ、ご連絡は下記にて承ります。
https://nkbp.jp/booksQA

Printed in Japan　ISBN978-4-532-35867-9